SUPERNOVA

Dominique Leglu

SUPERNOVA

Collection
SCIENTIFIQUE

Chronique d'une découverte

PLON

Ouvrage publié sous la direction de
Stéphane Deligeorges

© Plon, 1989.

ISBN : 2-259-02069-0 Plon. 8, rue Garancière, 75006 Paris.

A Sélim,
Aux J2,
A Viou et Missou.

Chapitre 1
Le télex de Magellan

Ian Shelton aurait dû dormir cette nuit-là.

Il est doux de se reposer sur le mont Campanas, lorsque le vent ne souffle pas trop fort et ne fait pas chanter les pierres de la cordillère des Andes. Mais Ian Shelton est un amoureux du ciel et de toutes ses étoiles. Et c'est peut-être ici, au Chili, qu'elles sont le plus tentatrices. Nous avons oublié, nous, habitants du Nord, souvent citadins, le charme de ces nuits profondes où les constellations luisent comme des grappes de raisin après une pluie d'orage. Ici, on tendrait les mains vers le ciel pour les décrocher. Mieux, par une illusion d'optique à ravir les amateurs d'hologrammes ou de cinéma en trois dimensions, elles donnent du volume à la voûte céleste. A la verticale, la Voie Lactée s'étire comme un ruban de craie brouillée, tout autour, des lumignons scintillent, faibles, puissants, qui modèlent vallées et monts célestes. Au cœur de la nuit naît une grotte miraculeuse, à la dimension de l'univers où clignotent les pointes luminescentes d'improbables stalactites.

Alors, le 24 février 1987, sur la montagne désolée, Ian Shelton a décidé de ne pas rejoindre son lit. La nuit, il va la passer dans son observatoire à 2 250 mètres d'altitude. En solitaire. Très loin des villes dont les lumières blafardes éteignent le ciel; fuyant même les confrères avec lesquels il faut toujours partager une conversation. Son ambition nocturne est modeste. Il envisage simplement de faire une calibration. C'est-à-dire d'enregistrer l'intensité de certaines étoiles, qui serviront ultérieurement de référence pour d'autres images du ciel. Un travail que ne mènent plus la majorité des astronomes professionnels. Parce qu'ils concentrent toute leur recherche sur un seul sujet pointu, sursauts gammas ou

9

mirages gravitationnels ; parce que le temps de télescope est cher. Ian, lui, est un heureux mélange de professionnel et d'amateur. Professionnel car il a accès à un véritable observatoire, dépendant de la Carnegie Institution de Washington. Amateur, car il continue de chérir de vieux instruments qu'aucun « vrai » professionnel n'utiliserait plus. Comme les amateurs, Ian conserve son émotion intacte à la vue d'une plaque photo traditionnelle, où se grave, après quelques minutes ou heures d'exposition, la lumière stellaire. Dans les télescopes modernes, l'astronome est bien loin de tout ça. Il ne pénètre parfois plus dans le dôme où trône le grand œil tourné vers le ciel. Il vit à côté d'un ordinateur qui règle les mouvements et suit l'observation au travers d'ésotériques courbes s'affichant sur un écran. Très peu de poésie, beaucoup de courbes et de calculs.

Ian Shelton ne parvient pas tout à fait à s'y faire. Son télescope préféré n'a rien d'un objet high-tech. C'est un dix pouces, un petit télescope digne de Géo Trouvetout. Il ressemble à une antique chambre photo, avec une grosse lentille à un bout, une plaque photo à l'autre, munie d'un cache métallique qu'il faut arracher d'un coup sec. On peut le regarder sous toutes les coutures, on n'y trouvera aucun détecteur électronique. Le dix pouces est définitivement archaïque, c'est l'un de ses charmes. Un deuxième charme vient du fait qu'il s'est retrouvé ici quasiment par hasard, après bien des pérégrinations. Ses débuts, il les a faits en Californie, perché sur le mont Wilson qui domine Los Angeles, d'où la cité, par temps de *smog*, ressemble à une caricature de ville de science-fiction. Mais devant les assauts répétés de la technologie montante des télescopes voisins, il prend un coup de vieux. Alors commence son errance. Il déménage en Afrique du Sud puis en Australie. Est menacé de rouiller dans un grenier. Finalement, Allan Sandage, un des pères américains de l'astrophysique, le sauve de la déchéance. Et décide d'envoyer cette pièce de musée sur la cordillère des Andes. Une bienheureuse fin.

Quand on s'approche du bâtiment protecteur du dix pouces, on croirait une cabane de plage égarée en montagne, bien blanche, un peu grande peut-être. Il faut d'abord pénétrer une pièce sombre où s'alignent des bacs pour développer les photos. Un gentil capharnaüm de boîtes de papier sensible, de pinces et de bidons, sur lequel flotte l'odeur âcre des produits chimiques. Et puis, on franchit une porte. Le dix pouces trône dans sa case parallélépipédique, comme un phallus bleu conquérant.

Le 24 février, Ian procède méthodiquement comme toutes les

nuits. Il grimpe d'abord sur un escabeau pour déplacer le toit à la force du poignet. Il n'y a pas de mécanisme automatique pour dévoiler le ciel. La ferraille des petites roues coulissantes grince. Par nuits de vent, la toiture vibre, les bourrasques manquent de renverser homme et escabeau. Petit à petit, dans le trapèze vide que laisse derrière lui le toit mobile, apparaissent les étoiles et les constellations, Orion, la Croix du Sud, le Petit et le Grand Nuage de Magellan. Cette nuit-là, Ian décide de pointer l'engin sur le Grand Nuage de Magellan, cette galaxie sœur de la nôtre, la Voie Lactée. Dans le ciel chilien, elle ressemble à un bout de gaze irrégulier et brillant. C'est la troisième nuit successive que Ian l'observe. Le 22, la plaque photo n'a pas donné les résultats escomptés. Le 23, après une exposition d'une heure, la photo était de bonne qualité. Ian décide de modifier une fois encore le temps de pose, trois heures. Il commence par une première plaque à 10 h 30 du soir. La remplace par une deuxième à 1 h 25 du matin. Les plaques sont « mes véritables yeux », dit-il souvent. Pendant

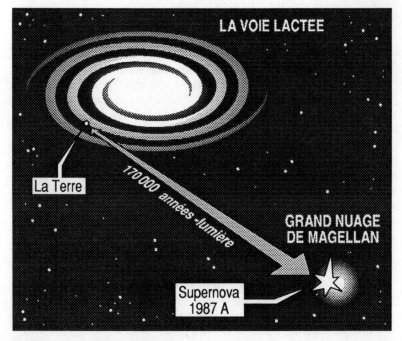

Figure 1. *A 170 000 années-lumière de la Terre, la supernova 1987A a explosé dans le Grand Nuage de Magellan, galaxie sœur de la nôtre, la Voie Lactée.*

11

qu'elles enregistrent les lueurs de là-haut, rien n'empêche Ian de rêver, plus souvent de travailler sur des clichés enregistrés les nuits précédentes.

Ian Shelton est un étudiant permanent. Il le dit sans ambages, il ne travaille certainement pas pour l'argent. L'argent semble pour lui la dernière des préoccupations. Il doit en avoir suffisamment pour effectuer les voyages entre son université canadienne et le Chili. Mais ici, sur la montagne, nul besoin de superflu pour frimer à la manière d'un *golden boy* de Wall Street. Pour lui, l'astronomie est une science « gentille ». Bien loin de la fameuse Guerre des étoiles, chère au président américain Ronald Reagan. Nulle trace ici de bouclier spatial, de satellites tueurs, de missiles antimissiles. Il n'aimerait pas mettre au point un super-laser ou une arme à faisceau de particules. Il préfère étudier, étudier encore, comme un bénédictin des Andes. Célébrer la lumière du monde, que l'on peut capter puis mettre en équations, est une quête. L'astronomie, pour ce solitaire, reste bien loin de la politique, elle la transcende. Elle se joue à l'air frais, comme dans un vent du large. Yeux aux aguets, les astronomes, selon Ian, sont des hommes et des femmes à l'esprit ouvert, pratiquant le scepticisme permanent. Il leur faut le sens du temps, non pas celui, fractionné, des activités intellectuelles obligatoires. Le temps, long, imposé par les lois de la nature. L'attente de la nuit, de la nouvelle lune, de l'air assagi, de l'absence de nuages. L'impatience est une incongruité. Les événements surgissent à leur heure, il faut longuement les guetter. L'astronomie, à écouter Ian, est école de sagesse. De plaisir aussi. Voire d'étrangeté.

Dans la solitude du mont Campanas surviennent parfois des bizarreries qui laissent le voyageur rapide incrédule. Ian, dans son observatoire, a pris l'habitude d'écouter de la musique. Il semble, à rencontrer de nombreux amoureux du ciel, que la musique ne peut être absente de l'observation prolongée. Résistance au silence de l'univers. Désir d'harmonie. Solitude choisie, peuplée de passions personnelles. Les astronautes ou cosmonautes ne disent pas autre chose. Penchés au hublot de leur vaisseau spatial, lorsque défilent sous leurs yeux la planète bleue ou l'immensité noire du cosmos, il leur vient des bouffées de désir. Désir de mélodie. Symphonies de Mahler mais aussi bons vieux rocks qui balancent. Majesté de la gravitation, « pulse » des explosions.

Ian, justement, aime le groupe The Cure. Et curieusement, il prétend que les fantômes l'apprécient aussi. Certains sont venus le lui glisser à l'oreille, par des nuits de songes exaltés. Comme un chuchotement complice d'hôtes permanents des Andes à l'hôte épisodique. Il ne faut pas s'en effrayer, les dômes sont donc hantés. Du moins Ian l'affirme-t-il sans rire. Comment en serait-il autrement, dans ce pays où la moindre construction de route ne cesse de se heurter à d'invisibles obstacles ? Ce sont souvent des sépultures oubliées d'Indiens qui jettent un trouble sur les travaux. On peut en sourire, les ouvriers trouvent en général l'aventure moins drôle. Ils s'efforcent de déterrer les morts, pour les réenterrer avec tous les honneurs dus aux mânes des ancêtres. Sinon, Dieu seul sait quel sort s'acharnerait sur le lieu. Or, le sort, il faut le conjurer et si possible vivre avec, après que d'autres en ont été frappés. En plein désert, il arrive de trouver une petite croix de bois défraîchie. Les rares passants savent que la mort a rôdé par là. Qui oserait flanquer le symbole par terre d'un coup de pioche ? Le mont Campanas, comme tous ceux de la Cordillère, est truffé de ces lieux oubliés, vestiges d'ateliers de pierre taillée, maigres trous d'eau pour les hommes et les bêtes, recoins en forme d'abris. Comme Little Big Man ou Jeremiah Johnson, les connaisseurs de la montagne vénèrent ces points sensibles. Qui sait voir dans la pierraille met la main sur de petites flèches. Trésors parsemés sans valeur marchande.

Une nuit, donc, les mânes ont fait savoir qu'ils aimaient la chanson *Boys don't cry*. Ian ne s'en est pas étonné outre mesure. A croire qu'il est venu sur la montagne pour recueillir ces chuchotements, aussi. Mieux, il les provoque. Durant la journée, ce « Canadien fou » — comme l'ont surnommé ses amis — travaille la Cordillère au corps. Il s'est doté d'un 4 × 4 rutilant qu'il fait bondir sur les cailloux. Il le pousse dans les pentes les plus vertigineuses, s'arrête langoureusement au bord des précipices. Toujours plus près. Le sort s'est jusqu'à présent montré généreux. Il n'a pas englouti l'impudent. Pourtant, celui-ci s'acharne. Il enfile ses chaussures renforcées et prend le chemin à pied quand le 4 × 4 renâcle. Ian marche des heures, jusqu'à être exténué. Jusqu'à l'avant-dernier souffle. Tentation d'une petite mort andine.

Il est 4 h 30 du matin. Ian développe les deux plaques photo. Stupeur. Une monstrueuse tache s'étale en plein milieu. Comme un pâté de peinture blanche tombée d'un pinceau céleste. Ne serait-ce pas plutôt un parasite imbécile collé à la plaque ? Pourtant, Ian est méticuleux. Il ne comprend pas. Examine à nouveau l'image surprenante. Pas besoin d'agrandissements successifs, comme dans *Blow up*. Le mystère ne s'est pas caché dans un recoin. L'évidence aveuglante de l'inattendu envahit le papier sensible.

Vite, l'air libre. Tromper l'agitation qui monte. Se rafraîchir les sens. Marcher, lever les yeux au ciel, penser en un clin d'œil. Attendre l'inattendu est le lot du chercheur. Mais c'est tout théorique. Quand la surprise survient pour de bon, elle inquiète. Au bout de la route, veillent d'autres astronomes dans le télescope voisin. Il ne faut qu'une ou deux minutes pour les rejoindre. Brusquement, Ian sent qu'il lui faut parler, questionner d'autres humains.

Ian franchit la porte, regarde machinalement le Grand Nuage de Magellan. Au beau milieu, trône la lueur. Une nouvelle lueur. Un éclat qui n'existait pas la nuit précédente. La photo avait raison. Ian accélère le pas. Pousse la porte de l'autre observatoire. Interpelle le Canadien Berry Madore et le Britannique Robert Jedrzejewski par une phrase volontairement alambiquée : « Que diriez-vous si je vous parlais d'un objet de magnitude 5 dans le Grand Nuage de Magellan ? » Autrement dit, d'un objet céleste bien plus lumineux que tout ce qu'on y voit d'habitude. Quelque chose comme le dixième de l'Étoile polaire, en luminosité. Ses collègues l'observent, perplexes. Est-il plus fou que jamais ? Oscar Duhalde, un assistant de nuit chilien, réagit le premier : « Je l'ai vu. A deux heures du matin, quand je suis sorti prendre l'air. » Stupéfaction du groupe. Oscar n'a rien dit. Lui, le « spécialiste » du Grand Nuage de Magellan, qui saurait presque dessiner toutes ses étoiles les yeux fermés, n'a rien dit. La grosse lueur l'a intrigué. Dans le noir étoilé, il a peut-être froncé le sourcil, s'est interrogé. Et puis, il est rentré, il a oublié. Comment est-ce possible ? Plusieurs jours plus tard, il s'interroge encore. Comment a-t-il pu enfouir si vite cette lumière nouvelle dans les profondeurs de sa mémoire ? La recherche « sérieuse » empêcherait-elle parfois d'accepter les clins d'œil du cosmos ? La routine nocturne endormirait-elle la vigilance intellectuelle ? Duhalde se console de formules : « En science, la chance appartient aux mieux informés. »

Shelton, de son côté, a déjà passé en revue les phénomènes cosmiques éventuellement responsables d'une telle lueur. Il n'ose s'avouer un phénomène majeur. Se retrouver au sein du groupe est rassurant. On regarde le ciel de concert. On se convainc sans drame de l'importance de l'événement. Oui, il s'agit d'une grande première, oui, il s'agit d'une nouvelle attendue depuis quatre cents ans. Oui, en cette nuit chilienne, a lieu en direct l'explosion silencieuse d'une étoile : une supernova visible à l'œil nu est née.

Les cinq hommes sont tout à la fois abasourdis et frénétiques. Abasourdis, car l'apparition d'une supernova dans le Grand

Nuage de Magellan était tout ce qu'il y a d'improbable. A l'échelle de l'univers, le Grand Nuage est très proche de nous, à peine 170 000 années-lumière. Cette supernova est un accident. Un accident heureux. Le genre d'événement que tout astronome espère observer une fois dans sa vie. C'est ce qui rend le groupe frénétique. Il faut désormais faire partager la bonne nouvelle au monde entier.

La méthode normale, la routine à suivre est d'appeler les États-Unis, plus précisément le Bureau central des télégrammes astronomiques à Cambridge dans le Massachusetts. En ce lieu convergent toutes les annonces du milieu de l'astronomie, qui repartent ensuite vers les observatoires ou les centres de recherche. Ian Shelton consulte son calepin et s'empare du téléphone. Aucun des trois numéros inscrits ne répond. La fébrilité est à son comble. Une seule solution s'impose. Prendre le volant et redescendre sur les bords du Pacifique. Rejoindre la petite ville de La Serena où il sera possible d'envoyer le message par télex.

La nuit enveloppe encore Las Campanas. Bientôt, une lueur jaunâtre va pointer par-delà les arrondis de la Cordillère. Cette montagne est belle. Ses courbes violemment douces la rendent unique entre toutes les montagnes de la Terre. En ces lieux, elle semble un infini de monts désertiques, en dégradés de jaune pâle au marron chocolat. Pierreuse, sans hostilité méchante. Juste une rudesse rustique qui appelle la marche. Elle se découvre, de loin en loin, comme une succession de jeunes collines qui auraient décidé de devenir grandes et, en se surélevant, auraient conquis le titre de montagnes. Les pistes, en pente douce, serpentent dans un paysage que l'on croit monotone, au premier coup d'œil. Mais cette monotonie apparente force l'attention. Dans le soleil rasant, brillent des touffes d'herbes dorées. Fines comme de longues aiguilles, elles se nichent au cœur des pierres. Au bord de la piste, parfois, sur la poussière brune, elles ne ressemblent qu'à des paillassons sauvages que l'on a envie de piétiner. Tout à côté, gisent de gros blocs, comme tombés du ciel, massifs. En eux, la montagne pèse de tout son poids. De toute son apparente éternité.

En cette fin de nuit, la voiture quitte l'observatoire et ses petites coupoles. 160 kilomètres à parcourir pour rejoindre la ville. La Serena est une belle bourgade, typique de l'Amérique du Sud. Au centre, la place carrée d'où partent à angle droit les rues principales. Les rues du nord, du sud, de l'est, de l'ouest. On la croirait bâtie par un obsédé de la boussole, ou peut-être, déjà, des étoiles et de leur orientation. Le télex part pour Cambridge. La supernova s'échappe de la fausse solitude de Las Campanas à la conquête des astronomes de la planète. Le message a pour nom « télégramme N° 4316 » de l'Union astronomique internationale. « W. Kunkel et B. Madore, de l'observatoire de Las Campanas, rapportent la découverte par Ian Shelton, de l'université de Toronto, à la station Las Campanas, d'un objet de magnitude 5, manifestement une supernova, dans le Grand Nuage de Magellan. »

Chapitre 2

Billet pour un séisme cosmique

Ce matin-là, je ne me trouvais pas où j'aurais dû être, derrière mon bureau à vérifier périodiquement l'arrivée des télex de tous les coins de la planète. Le 25 février en matinée, je me passionnais temporairement pour l'évolution de la télévision haute définition dans un laboratoire de la région parisienne. En revenant au journal, je compris rapidement que j'allais laisser tomber les étranges lucarnes revisitées par la high-tech. Car, une fois n'est pas coutume, un télex important avait fini par arriver. En provenance de Washington. Intitulé : « Des astronomes affirment avoir observé l'explosion d'une supernova. »

Les télex sont de drôles de choses. Ils crépitent à intervalles réguliers, dévidant leurs grosses bobines de papier mou. Les nouvelles les plus disparates s'égrènent. Entre une inondation au Bangladesh et une nouvelle chute des cours du cacao en Côte-d'Ivoire, on y découvre un meurtre à Tarbes, des naissances de triplés éprouvettes en Australie, les dernières statistiques concernant le Sida au niveau mondial, le bref vol plané d'une Chinoise emportée par une tornade. Une véritable moulinette où les morceaux de choix côtoient le mou pour chien. Comme des bulles remontant en surface, les nouvelles naissent et disparaissent. Le temps d'y jeter un coup d'œil, et le journaliste décide, comme un photographe, de la fixer sur papier. Il faut aller vite, jauger la bulle et ses caractéristiques, évaluer si ses charmes méritent une place dans le journal. En particulier, lorsqu'il s'agit d'une information scientifique.

Une information scientifique, il faut s'en convaincre, n'aura jamais l'impact direct des résultats du quarté, du nombre d'absten-

17

tions à un référendum ou de la baisse du dollar. D'abord, il arrive rarement qu'elle soit directement compréhensible. Elle requiert un peu de temps, une pause pour le déchiffrement. Souvent, elle vient de l'autre bout de la planète, des États-Unis ou du Japon. Impossible, avec le décalage horaire, de vérifier immédiatement son contenu, ce qui est le b a ba du journalisme.

Ce matin-là, les mots s'alignent — supernova — la plus grosse depuis 1604 — un des événements les plus attendus de toute l'histoire de l'astronomie.

Supernova. En un clin d'œil, les vieux cours d'astrophysique datant d'il y a déjà plus de dix ans défilent dans ma mémoire. Vite, il faut consulter nos archives, les livres d'astronomie qui s'empilent dans le placard du couloir. Se jeter sur l'*Encyclopædia universalis* et le *Robert* réunis. Consulter le carnet d'adresses et joindre un spécialiste au téléphone.

Un télex en provenance de Washington annonce la découverte d'une supernova. Cela semble important. Êtes-vous d'accord ? Est-ce aussi unique que le télex semble l'affirmer ? Attendez une seconde, je vais vous le lire...

Les chercheurs, eux aussi, sont souvent victimes des décalages horaires. Non, ils ne sont pas encore au courant de l' « événement ». Demain, peut-être, pourront-ils faire un commentaire.

Mais demain, c'est déjà aujourd'hui, pour un journaliste de quotidien. L'information-bulle n'attend pas. Elle va éclater, et surtout, surtout, elle risque de se faire piéger ailleurs, dans un autre journal, un concurrent. L'information existe en soi. Mais sa valeur, elle ne la prend que par l'importance qu'on veut bien lui donner. Qu'on peut lui donner. Et la rapidité avec laquelle elle est transmise. Parce que l'on a bien compris de quoi il s'agit. Parce que le rédacteur en chef, maître à bord du navire médiatique, a été convaincu de l'importance de l'événement. Une importance toute relative, dans le flot mélangé de politique, d'économie, de social et de culture.

A quelle aune mesurer véritablement l'intérêt de cette information ? D'abord à l'impact qu'elle a dans le milieu même où elle naît, à sa source. Si plusieurs astronomes, dans divers laboratoires, s'entendent pour déclarer qu'ils voient là un événement, le journaliste — médiateur — est, en conscience, enclin à les croire. Encore cela n'est-il pas toujours vrai. Parfois, l'événement est surévalué, déformé ou douteux à la base. L'exemple récent de la fameuse « mémoire de l'eau » est là pour le prouver. Parfois, c'est le contraire, l'événement est sous-évalué, considéré comme trop ésotérique pour être compris à l'« extérieur » du cercle des initiés. Il n'atteindra qu'en retard les cercles médiatiques. Ce fut le cas des lentilles gravitationnelles, ces effets relativistes extraordinaires, observés notamment par des astronomes toulousains, qui ont pris tout leur temps pour révéler l'importance du phénomène au-delà du milieu de la recherche.

Mais la source ne peut être la seule à « faire » l'information. Encore faut-il qu'elle soit reprise. Et savoir quelle forme elle va prendre. Quelle histoire vais-je raconter ? se demande le journaliste. Et à qui s'adresse-t-elle ? Éternelles questions du journaliste dit scientifique plongé dans l'univers de la « grande » presse. La connaissance en soi est rarement la seule justification de son papier. Chaque jour s'écrivent des milliers d'articles scientifiques, sur des milliers de sujets divers, allant de l'éthologie des grenouilles à l'énoncé d'un nouveau théorème. Rares seront ceux qui seront proposés, poussés vers le vaste public. La clé de beaucoup d'articles repose sur des données beaucoup plus simples. Y a-t-il ou non découverte ? Avancée nouvelle réelle dans la compréhension d'un phénomène. La chose est-elle explicable « simplement » ? Peut-elle éveiller un écho chez le lecteur, l'Arlésienne des salles de rédaction ? Dans ce tourbillon de questions généralement sans réponse, le journaliste fait son choix. En fonction de ses connaissances propres, de ses affinités. De sa logique et de ses petites habitudes.

Et puis, parfois, la routine bascule. Le « coup » pointe son nez. Supernova. Une étoile a explosé. Elle semble très proche de notre planète Terre. Et on ne peut l'observer que de l'hémisphère Sud.

Il faut donc aller dans l'hémisphère Sud. Cette évidence m'assaille. Très vite, il va falloir convaincre les instances supérieures du journal.

Les télex continuent de tomber, d'Australie cette fois, où « deux télescopes optiques géants et le plus grand radiotélescope suivent attentivement l'objet brillant ». Ces annonces sont autant de bonnes nouvelles. On est loin, très loin de l'observation classique des astronomes, approfondissant par de multiples enregistrements leur connaissance céleste. Pour une fois, l'événement est en train de se produire en direct. Comme un ouragan silencieux à ausculter sans relâche. Une véritable manne journalistique. Comment le phénomène va-t-il évoluer ?

Le premier jour, place à la raison. Il faut écrire en fonction des données connues. Ce qui est loin d'être simple. A l'Institut d'astrophysique de Paris, le chercheur Robert Mochkovitch livre quelques premières précisions. Attention, il n'y a pas un seul type de supernova, mais deux. Écrire, c'est bien beau, encore faut-il ne pas transmettre trop d'informations erronées. Le lecteur sera donc prié d'accepter l'idée qu'il existe deux types de supernova. Une précision bien éloignée des préoccupations habituelles d'augmentation des loyers ou des blocages des transports dans les colonnes voisines du journal. Peu importe. Le souci de l'information scientifique, c'est aussi ça. Signaler ces deux types de supernova, parce que cela fait partie des interrogations immédiates de ces drôles de gens que l'on s'obstine en fin de XXe siècle à dénommer savants, comme au XIXe. Ni plus ni moins que pour décrire un conflit social, on ne peut occulter les interrogations de fond de ceux qui participent à l'événement.

On ne peut, non plus, éviter les tâtonnements de première heure. Des États-Unis vient l'information selon laquelle la supernova aurait explosé à 170 000 années-lumière de nous dans le Grand Nuage de Magellan. Et, dans le même temps, l'information quelque peu confuse d'une dépêche d'agence parle d'un « objet situé à 4 000 années-lumière » seulement. Là commencent les bégaiements du journaliste devant les incertitudes de ses sources. Il faut être honnête, il faut en parler. Au risque de décevoir tous ceux qui ont appris à ne voir en la science qu'un alignement de certitudes. Ceux-là vénèrent le mot « savant ». Comme des possesseurs d'un savoir clos, définitif. Le vrai savant est en fait un Janus. Une face qui sait déjà beaucoup, l'autre qui découvre en permanence et s'aide de la première. La face qui hésite, tâtonne, emprunte des impasses, s'autorise des retours en arrière et même des échecs est celle du chercheur.

Le journaliste scientifique doit s'arranger pour faire passer le message des certitudes et des incertitudes aussi souvent qu'il le peut. La recherche vénère ses équations, la lumière qu'elles jettent sur le monde. Mais elle aime tout autant l'obscurité, qui se déchire par lambeaux successifs.

Le matin du 26 février, ma conviction s'est accrue. Il faut aller au Chili. Je suis parvenue à joindre au téléphone l'un des grands observatoires de la région, La Silla, à 600 kilomètres au nord de Santiago, où sont réunis les astronomes européens de l'ESO (European Southern Observatory). A l'autre bout de la ligne, le chercheur Alfred Vidal-Madjar avait une voix enthousiaste. En une seule nuit, il avait déjà réuni des informations uniques sur le milieu interstellaire. Et ce, grâce au faisceau lumineux de la supernova qui éclaire l'univers, comme un phare perce les brumes de la côte. Je rassemble mes arguments et descends à l'étage en dessous, le « central ». Jean-Marcel Bouguereau, aujourd'hui directeur de la rédaction à *l'Événement du Jeudi,* est l'homme à convaincre. Je lui débite mon petit topo. « Événement unique. Séisme cosmique. Compréhension de l'univers. Tous les télescopes de l'hémisphère Sud sont braqués vers la chose. Je veux aller au Chili. » Il m'écoute gentiment. Semble ne pas douter de l'importance de la supernova. Me réplique :

— Combien ça coûte d'aller là-bas ? Fais-moi un budget.

Le prix de la compréhension passe toujours par là. Le budget de reportage.

— Laisse-moi une petite demi-heure, je te donne le renseignement.

Une heure après, je sais que la supernova coûte cher. Et que je partirai trois jours plus tard.

Chapitre 3
Chile, Ojos al universo

Roissy, 20 h 30. Dimanche 1ᵉʳ mars. Vol prévu vers Rio de Janeiro, Buenos Aires et Santiago du Chili. Sentiments confus. En poche, j'ai le passeport avec visa pour la patrie de Pinochet. Dans ma mallette, j'ai réuni quelques articles politiques découpés à la hâte sur les dernières nouvelles en provenance du pays sous dictature. Et aussi, un livre de poésie, *Las piedras del cielo-Las piedras de Chile*, de Pablo Neruda. Les pierres du ciel. Le poète savait déjà la science.

Étrange. Partir pour la Cordillère, pour l'espace et ses miracles. Mais avant, il faudra côtoyer l'horreur terrestre. La côtoyer seulement, car je ne pars pas enquêter sur les geôles. Je saurai simplement qu'elles sont quelque part, loin ou près d'une route jusqu'alors parfaitement inconnue de moi et qui ne frappera même pas ma mémoire.

Au consulat déjà, l'atmosphère était paradoxale. Le gardien m'a jaugée au travers d'un judas. Il m'a conduite, l'air réticent, au petit bureau où, très « fonctionnaires sans problèmes », deux femmes m'ont reçue fort aimablement pour la requête de visa. Elles m'ont trouvé une bonne tête, avec mes histoires d'étoile qui explose. Une tête à accélérer les formalités. L'une d'elles, jeune, s'est prêtée du coup au jeu des confidences. Elle m'a guidée vers une petite pièce en retrait. Curieux, comme dans une bande dessinée moyen-âgeuse, j'ai pensé qu'il y avait une chausse-trappe sous la moquette. Comme ce bizarre jour de Toussaint où un attaché soviétique m'avait demandé de venir à l'ambassade du boulevard Lannes, déserte, glacée et totalement sombre, pour discuter pluies acides et pollution du lac Baïkal.

23

Anna-Maria n'avait que d'excellentes intentions. Elle m'a donné une revue, *Imagen,* décembre 1985, pour son article « Chile, Ojos al universo ». Le Chili, une fenêtre sur l'univers. Dès l'ambassade, je plonge dans mon sujet. Et puis, elle m'a parlé d'archéologie. Un sujet qui lui tient plus à cœur que l'astrophysique, sûrement. Et elle m'a tendu une carte postale, comme un talisman. « Statue au nez épaté dirigée vers la gauche au coucher du soleil. » Une statue de l'île de Pâques, en plein océan Pacifique, qui appartient au Chili. Elle trône toujours en première page de mon carnet d'adresses. Pierre lourde, enracinée dans un champ jaune, le regard tourné vers le ciel. La statue, ai-je songé, a déjà vu la supernova. Pas moi. Quand nous sommes retournées dans le bureau, le joli visa bleu ornait le passeport à retirer à un guichet, ailleurs. Vingt jours d'autorisation de territoire terrestre, en Amérique du Sud, le tout pour 66 F, avec trois timbres payables en dollars. Sur chacun, un rapace. Un condor, à coup sûr, avec une allure de vautour. Un orange, un vert et un bleu. Comme les couleurs de la lumière qu'analysent les spectromètres des astronomes.

Embarquement. Le voyage doit durer quatorze heures. Au fil des escales, le nombre de passagers diminue. Mon tour de taille augmente après un dîner, deux déjeuners et un petit déjeuner. A Rio, les vendeuses des *duty free* regardent le carnaval à la télévision. A Buenos Aires, il n'y a pas d'échoppes, juste un comptoir truffé de badges à la gloire des Malouines, Islas Malvinas. Et puis, l'avion redécolle vers Santiago. Curieusement, le mot résonne pour moi d'une grande douceur. Une douceur de voix d'aéroport, celui de Rio. Toutes les annonces de vol ont été enregistrées par une actrice connue pour sa voix roucoulante. Quand elle prononce Santiago, chuintant légèrement sur le S, on croit embarquer pour Cythère. Je me demande sur quel ton elle dirait « supernova ». Les touffes de fleurs orange et les plumets duveteux du bord de la piste disparaissent. D'abord, il y a la pampa plate, puis se profile la Cordillère. En plein jour. Même en scrutant à travers le hublot irisé, impossible de voir celle qui éclate là-haut à 170 000 années-lumière. Alors, je regarde vers le bas. Vers les monts, comme des milliers de gros chameaux couchés, recouverts parfois de bâches blanches. Les neiges éternelles. De temps en temps, un lac émeraude réfléchit un rayon de soleil instantané.

La pierre vit-elle sans bouger ? Vit-elle sans grandir ?
L'agate marine a-t-elle des lèvres ?

Je ne vais pas répondre : je ne peux.
Mais ainsi fut cette genèse turbulente
des pierres qui, ayant flambé, ayant grandi,
depuis lors vivent dans le froid.

Les Pierres du ciel XI
Pablo NERUDA.

La descente vers le Pacifique est sans surprise, dans un ciel jaunâtre lesté de pollution, surchauffé. Les formalités de douane sont rapides, sauf pour mon prédécesseur, évidemment. Encombré d'une sorte de cage à oiseau de couleur noire, ce Britannique vient monter un opéra, *la Norma.* Il s'escrime à expliquer que son bagage est une maquette de scène. On croirait plutôt une chambre de tortures arrabalesque, des moignons d'aluminium noircis au chalumeau pendent du faux plafond. Le douanier transpire et je pense qu'après avoir écouté John, le passionné d'opéra, une journaliste française venue pour une étoile ne le surprendra pas. Il y a une chance qu'il lise les journaux, et il y a fort à parier qu'*El Mercurio,* le principal quotidien, a déjà accordé quelques colonnes à la supernova.

Comme dans tous les aéroports du monde, les familles guettent, les secrétaires attendent les hommes d'affaires panneaux en main. Surprise. Une ardoise plantée en haut d'un manche à balai arbore mon nom, griffonné à la craie, sous un officiel ESO (European Southern Observatory). Au pied du manche, trois hommes attendent. Un chauffeur et, à ce que j'apprends, deux astronomes, l'un de Genève, l'autre de Meudon près de Paris, qui viennent d'atterrir par le même vol.

Avant de partir, j'avais téléphoné au siège de l'ESO, à Garching, en Allemagne, demandé à Richard West, son homme des relations publiques, d'intercéder en ma faveur pour me faciliter les interviews dans son observatoire chilien de La Silla. Je découvre qu'il a mis en branle à mon insu la machine à guider les astronomes européens. Une faveur inappréciable par la chaleur qui inonde Santiago. Pas de taxi et de chambre d'hôtel à trouver.

La voiture, très noire, très luisante, file vers la capitale, la traverse de part en part. Les buildings grimpent peu à peu en hauteur pour redescendre graduellement vers un quartier résidentiel, tout en bougainvillées et caoutchoucs arrosés de frais. Escamotés, les embouteillages de bus surchargés vers le palais de la Moneda, la voiture s'arrête devant une grille parfaitement peinte, derrière laquelle on peut voir une longue maison. Elly Berliner sort sur le perron. La forte dame est la maîtresse de maison, la maîtresse du *Guest house,* comme l'appellent tous les astronomes en transit. On ne badine pas avec Mme Berliner, cela se comprend instantanément. C'est elle qui règle les allées et venues, depuis huit ans. Jusqu'à deux cents personnes par mois, en provenance d'Europe et en partance pour l'observatoire de La Silla, ou vice versa, m'explique-t-elle. Ils viennent de partout, de Suède, d'Allemagne, de France, d'Italie, dorment ici avant d'aller rejoindre les télescopes, à 600 kilomètres au nord. Elle me conduit à ma chambre, sorte de cellule monacale donnant sur un jardin intérieur. Une vasque, du chèvrefeuille, encore des bougainvillées, la piscine. Les astronomes sont gâtés. Moi aussi.

Un petit papier dactylographié m'attend déjà sur la table. Demain, petit déjeuner à 7 h 30, et départ à 8 heures pour l'aéroport local de Tobalaba. Direction Pelicano. Ne pas oublier de donner le coupon bleu au taxi. Une telle rigueur me surprend. Elle me fait songer aux emplois du temps parfaitement réglés que l'on attribue aux grandes entreprises au management moderne. Les astronomes m'affranchissent. A la direction de l'ESO, se trouve alors Lodewijk Woltjer, Hollandais qui mène l'organisation d'une poigne ferme et aime que tout soit précis, même les détails de vie quotidienne. Si les télescopes sont réglés comme le rituel du petit déjeuner, la supernova ne gardera pas longtemps ses secrets. Allons d'abord découvrir ceux de la piscine.

Ce qui surprend à Pelicano, c'est qu'il n'y a rien. Ou presque. Une cabane et un manchon blanc et rouge qui indique la force et la direction du vent. Depuis le petit avion d'affaires de la SANTA Airline, qui remonte vers le nord en survolant les contreforts de la Cordillère, je n'ai pas vu la supernova. Pas plus que le soir à Santiago, où la ville cache le cosmos. En revanche, elle se révèle à la première page du *Mercurio,* celle qui *ha provocado gran interés en la comunidad científica mundial. Su descubridor, el astrónomo canadiense, Ian Shelton* trône en photo couleur, l'œil rivé à un télescope. Mes voisins, le nez dans leur attaché-case, ont une tête à consulter les cours du cuivre plus que l'évolution d'un événement cosmique. Ils ne le relèvent avec quelque curiosité que lorsque je quitte la carlingue, seule, au milieu du désert de pierrailles de Pelicano. Comme pour les habitués, une voiture attend. Direction, l'observatoire.

Juan Gonzalez, le chauffeur, a un débit trop rapide pour moi. Je sens poindre l'excitation de celui qui pense : « Les journalistes arrivent, il se passe quelque chose d'important. » A un embranchement, surgissent deux pancartes blanches, et de grosses lettres noires. La Silla à droite, Las Campanas à gauche. L'itinéraire s'organise en dehors de moi. Priorité à l'Europe. Un premier arrêt, dans la seule oasis verte de la montagne caillouteuse. Une barrière à l'enseigne de l'ESO, quelques maisons, puis 23 kilomètres de route vers l'un des paradis des observateurs du ciel. Quelques pancartes surréalistes se détachent sur les contreforts de la route, indiquant les virages, alors qu'il y en a partout ou presque. Obligeamment, Juan arrête la voiture pour que je puisse prendre quelques photos. Il n'a pas l'air de très bien comprendre pourquoi ces pancartes m'attirent. Comme des serpents, elles pointent vers le ciel, semblant dire : « C'est là-haut que tout se passe. » La rumeur avait laissé entendre que la supernova pourrait peut-être devenir aussi brillante que la lune en plein jour. Des images que je qualifierais de tintinesques, façon *l'Étoile mystérieuse,* assaillaient l'imagination. Mais, pour l'instant, on n'y voit que du bleu, celui du ciel andin.

On voit aussi des petits clins d'œil terrestres. Un crâne de bœuf, bien blanc sous le soleil, à un carrefour. C'est la direction d'une oasis, explique Juan, celle de Benio, où le maître d'hôtel de l'observatoire élève quelques poules et canards. Il y a donc un maître d'hôtel à La Silla, je n'y avais pas songé.

C'est lui qui m'accueille. Grand, amène, inévitablement sanglé dans un tablier blanc, Éric Schuman semble solitaire. La cantine est déserte. C'est le milieu de la matinée et la plupart des astronomes dorment. M. Schuman m'entraîne vers un baraquement, la succession des chambres des chercheurs. J'ai de la chance, un Suédois a dû inopinément s'absenter du Chili, je peux donc occuper son univers sans perturber l'ordre des choses. Je pose mes bagages mais moi, je n'ai pas sommeil. Éric Schuman m'indique où se trouvent la bibliothèque et les salles de travail. Devant un écran d'ordinateur, je découvre mon premier chercheur-enquêteur de supernova. Une femme à cheveux longs, Danielle Alloin, de l'observatoire de Meudon. Tout à son travail, ses colonnes de chiffres et ses courbes. Je me sens dérangeante. Pourtant, moi aussi, je travaille. Même si je ressemble à un « flâneur salarié » comme certains l'ont dit d'Albert Londres. Je risque une question, plate :

— Vous semblez très occupée ?

— Je n'ai dormi que trois heures ce matin, répond Danielle.

Je suis décidément de trop. Trois jours plus tard, Danielle avait battu son record, « 26 heures sans dormir ». La supernova est une mangeuse de temps. Une ogresse qui exige son comptant d'yeux bouffis, de télescopes pointés, de télex rageurs, de neurones tendus, d'analyses fines. Sur la montagne, j'ai senti que tous devaient se faire dompteurs, aux pieds d'une féline faussement collaboratrice.

> *Le chat ouvrit les yeux*
> *Le soleil y entra*
> *Le chat ferma les yeux*
> *Le soleil y resta*
> *Voilà pourquoi le soir*
> *Quand le chat se réveille*
> *J'aperçois dans le noir*
> *Deux morceaux de soleil*
>
> (Petite chanson de maternelle)

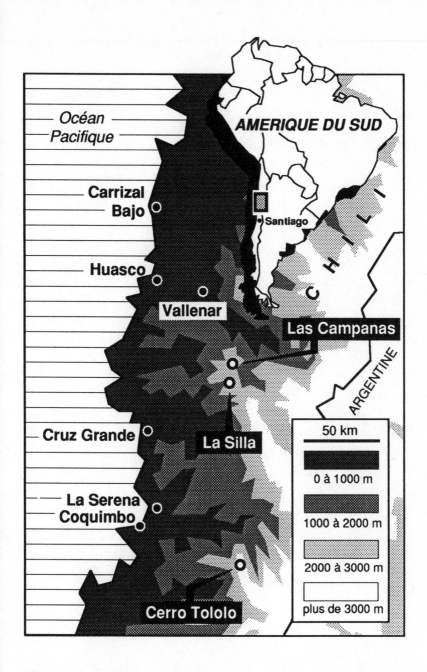

Figure 2. *La cordillère des Andes au Chili possède une prestigieuse série d'observatoires, situés à environ 600 kilomètres au nord de Santiago, vers lesquels convergent des astronomes du monde entier. La Silla est le siège de l'observatoire austral européen (ESO), Cerro Tololo et Las Campanas sont américains.*

29

Chapitre 4

Le thé de la supernova

Ce premier jour sur la montagne, c'est à l'heure du thé que les mystères de la supernova ont grimpé d'un cran dans mon cerveau atteint de décalage horaire. Depuis moins d'une semaine, les astronomes ont décidé d'instaurer un « thé de la supernova » pour faire quotidiennement le point sur la situation. Impossible d'ignorer ce rendez-vous, c'est le grand moment de chaque journée, l'heure de la rencontre officielle entre les Terriens et le cosmos. Le principe des réjouissances est simple : exposer tour à tour les enregistrements recueillis la nuit précédente avec un télescope, faire des suggestions d'analyse et annoncer les projets de la nuit suivante.

Avant les 16 heures fatidiques, certains s'acharnent sur leurs colonnes de chiffres pour les mettre en forme, d'autres compulsent fébrilement les écrits théoriques et articles sur les supernovae disponibles dans la bibliothèque de l'observatoire.

Petit à petit, les participants pénètrent dans la salle de réunion dotée d'une longue table. Par-delà les fenêtres, le soleil rebondit sur la montagne. Sous le bras, chacun serre sa chemise débordant de dessins au crayon sur papier millimétrique et de feuilles de listings d'ordinateur. En bout de table, calme et imposant, le directeur de l'ESO, Lodewijk Woltjer, terriblement attentif. Un jeune Italien, Stefano Cristiani, fait fonction de président de séance. Il a déjà trois ans d'expérience à La Silla et s'est intéressé aux supernovæ, en 1985 notamment. Aujourd'hui, il brandit une photocopie qui semble l'enchanter. Il a découvert dans la documentation le résumé d'un article soviétique récent (1986), lisible en anglais dans les *Sovietic Astronomy Letters*. On y parle de double explosion possible d'une supernova. Il ne sait pas encore si cet aperçu théorique aura un réel intérêt. Mais cette découverte l'a mis en grande forme et il se sent tout prêt à indiquer à ses collègues la meilleure façon de marcher sur les traces de 1987A.

Les collègues en question ont en effet de bonnes raisons d'être désorientés. Ils étaient venus ici, comme chaque année, avec leur programme en tête. Un projet élaboré de longue date, soumis à un comité d'approbation. Un projet pour lequel il a fallu entrer en compétition avec certains collègues, en association avec d'autres. Un sujet digne d'intérêt général pour lequel on accepte de faire la queue aux réservations de temps de télescope, comme pour un voyage en train. Pour l'un c'était l'observation de quasars, pour l'autre d'étoiles variables, pour un troisième de galaxies à coquille. Rien à voir avec une supernova.

Pour le public, l'astronomie (ou l'astrophysique), par le seul fait qu'elle porte ce nom, semble une science globale. C'est l'étude du ciel, de l'univers, des étoiles. En bref, du Grand Tout. Quand on approche le monde des astronomes, force est de constater que cette vision unifiée doit être rangée au placard des illusions. Sauf moments exceptionnels — passage en trois minutes sur une antenne radio ou sur un écran télé, écriture d'un livre « vulgarisateur », conférence à la Sorbonne ou remise de prix —, l'astronome « pour de vrai » laboure un champ limité. Observateur expérimentateur, il recueille des faisceaux en rayons X venus du pulsar du Crabe, ou observe les longueurs d'onde millimétriques caractéristiques de la comète de Halley.

Le raffinement des instruments de mesure, la nécessité de préciser toutes les données sur tel ou tel objet du ciel obligent le chercheur actuel à restreindre son rayon d'action. C'est en se limitant, en approfondissant un seul thème qu'il espère généralement découvrir de nouveaux modèles, règles, équations, idées, qui feront progresser sa science. Toutes les sciences, mathématiques, physique, biologie, paléontologie, sont désormais frappées par l'ultra-spécialisation. Au sein d'un même laboratoire, des voisins, étiquetés sous le simple label « astronomes », peuvent n'avoir que des discussions restreintes sur leur sujet propre de recherche. Dans le couloir, ou à la cafétéria, voire dans un colloque, ils pourront à loisir élargir leur propos, si le travail ne les retient pas. Mais le plus clair de leur temps, ils l'accorderont à un thème précis, le trou noir de la galaxie du Sombrero, les nuages moléculaires dans le milieu interstellaire local chaud, simulations de galaxies à grand décalage vers le rouge...

Le jeune Canadien Ian Shelton, devant le télescope « dix pouces » qui a permis la découverte de la supernova 1987A. dans le Grand Nuage de Magellan. Observatoire de Las Campanas, dans la cordillère des Andes, Chili.

En haut :
L'observatoire de Las Campanas dépend d'un institut privé américain, la Carnegie Institution, qui a financé les instruments d'observation au cours des années.

En bas :
On se perdrait dans ce désert de pierrailles sans quelques panneaux indicateurs des grands observatoires. Ici, La Silla, le site du grand observatoire austral européen.

En haut :
Le maître d'hôtel de La Silla aime le ciel mais aussi la montagne, où il découvre des silex taillés abandonnés par des générations d'Indiens Andins.

En bas :
Toute la crête de La Silla (la selle en espagnol, à cause de sa forme incurvée) est piquetée de télescopes. Le plus grand est le 3,60 mètres.

Cerro Tolodo, dans la cordillère des Andes au Chili, est le grand observatoire américain de l'hémisphère Sud. Dernier fait marquant : la possible découverte d'un pulsar, né de l'explosion de 1987 A. grâce à son télescope de 4 mètres.

Or, ce 3 mars 1987, un seul et même sujet accapare la vingtaine de participants réunis autour de la table. Tous, dans un bel élan, ont laissé de côté leurs jouets favoris, qui une galaxie à grumeaux, qui une étoile variable. Woltjer se confie : « Pendant des années, nous avons discuté pour savoir ce que nous ferions en cas d'apparition d'une supernova. J'ai toujours dit qu'à l'instant où l'événement surviendrait, il faudrait demander une coopération générale. J'étais sûr que tous seraient d'accord. » Depuis une semaine, ils ont tous été d'accord. Chaque nuit, les dômes d'une dizaine de télescopes ont été tournés vers le même bout de ciel, dans un émouvant ensemble. La supernova, en explosant, a lancé à travers l'espace les gerbes messagères de son histoire. Ici, chacun apporte sa moisson, complémentaire de celle des voisins.

A l'origine, il y avait une étoile. Une étoile apparemment sans charme particulier, puisque personne ne s'était passionné pour elle. Pourtant, en son sein, se préparait sans crier gare le séisme cosmique. L'explosion, la mort brutale a, en un instant, généré une histoire grandiose. Mais les astronomes ne peuvent se contenter d'un requiem. Pour saisir l'histoire, il leur faut remonter le temps, revenir à la pré-histoire de l'événement et à sa source probable, aujourd'hui défunte.

La question plane sur l'assemblée. Sait-on avec certitude quelle est la mère de la supernova ? Son progéniteur, comme la nomme le jargon des astrophysiciens. L'heure n'est pas encore aux certitudes. Pourtant, une hypothèse semble s'imposer. Sur les cartes détaillées du Grand Nuage de Magellan, la tache brillante d'aujourd'hui coïncide avec une étoile dûment repérée par l'Américain Nicolas Sanduleak en 1969. Parmi des milliers d'autres, elle ne porte qu'un banal nom de catalogue, Sanduleak 69-202.

Hans-Emil Schuster, le directeur de l'observatoire, fait partie de ceux qui s'interrogent le plus âprement sur la question du progéniteur. Pionnier des lieux — il a vécu sous la tente aux temps héroïques des débuts de La Silla —, il poursuit inlassablement la longue tâche répétitive d'établir des cartes du ciel. A l'aide d'un télescope de Schmidt, particulièrement adapté à cette recherche, il enregistre nuit après nuit les images de grands pans de la voûte céleste. Un travail apparemment fastidieux que la plupart des astronomes ne pratiquent plus. Un apostolat nécessaire cependant, avant que des satellites spécialisés ne prennent le relais des observations terrestres. C'est grâce à ces cartes que l'on sait de quoi on parle, dans quel lieu de l'univers se trouve tel ou tel objet. Immédiatement après l'annonce de la nouvelle venue, Schuster s'est précipité sur ses armoires de rangement. Il en a extrait ses images à lui, de grands plastiques transparents noir et blanc à examiner sur une table lumineuse. Pour lui, Sanduleak 69-202 est une bonne candidate à la maternité.

Les astrogrammes, ces télégrammes du milieu astronomique qui ne cessent de tomber sur les téléscripteurs d'Oscarito, le préposé aux télécommunications, tournent eux aussi autour de ladite étoile. Dès le 26 février, Craig Wheeler d'Austin, Texas, a envoyé un long message « à tous ceux que cela pourrait intéresser » : « (...) Si SK 202-69 (oui, M. Wheeler a fait une erreur en écrivant son nom !) est le progéniteur, elle pourrait bien être de l'ordre de 25 masses solaires, et, si elle a perdu une partie appréciable de sa masse, l'enveloppe d'hydrogène restante pourrait être relativement mince (...). »

Pourtant, il y a encore un doute. Woltjer explique : « En inspectant des clichés au microscope, on peut trouver non pas une mais deux étoiles proches de la région où a eu lieu l'explosion. » Et comme si ce n'était pas suffisant, on a même pu constater que SK 69-202 « a une image un peu allongée », comme si elle avait une bosse. « C'est peut-être une étoile double. » Dès le 26 février, à 18 h 36, Richard West de l'ESO a communiqué ces interrogations, via le Bureau central des télégrammes astronomiques de Cambridge : « Une exposition d'une seconde avec la caméra CCD du télescope danois de 1,50 mètre a été obtenue par Reipurt et Jorgensen. Ils ont pu déterminer les positions relatives de la supernova et de douze étoiles sur 1,5 minute d'arc avec une précision d'environ 0,5 pixel (1 pixel = 0"47). Je pense que le progéniteur proposé (SK 69-202) apparaît comme double sur une très bonne plaque enregistrée au télescope de Schmidt (...). » S'ensuit une longue explication technique, d'où il ressort que le « progéniteur ne peut pas être l'étoile (baptisée) 2, mais plus

Figure 3. *Supernova de type I : Dans un système binaire, l'une des étoiles, une naine blanche compacte, se nourrit de la masse de son compagnon. Quand une trop grande quantité de matière s'est accumulée à sa surface, une contraction catastrophique a lieu. En définitive, l'étoile s'effondre, engendrant une gigantesque explosion.*
Supernova de type II : pendant sa vie « normale », les réactions nucléaires empêchent l'étoile de s'effondrer par attraction gravitationnelle. Mais, une fois le carburant épuisé, le cœur s'effondre. Au centre se crée une étoile à neutrons, sur laquelle rebondissent des couches de matière qui se répandent dans l'univers.

SUPERNOVA DE TYPE I SUPERNOVA DE TYPE II

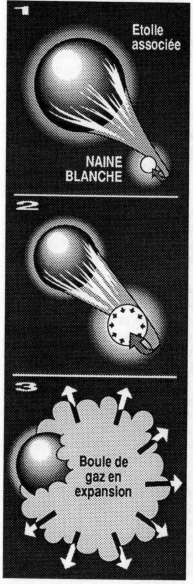

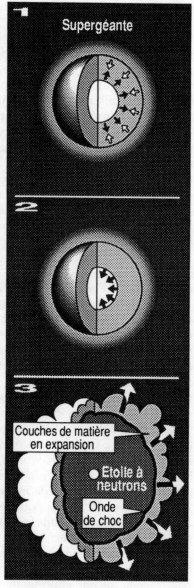

---

probablement l'étoile (baptisée) 1...» En ces débuts de recherche, l'explosion elle-même semble interdire la quête de certitude dans laquelle sont les hommes. On cherchait une étoile, et on en trouve trois. Pire, la région du ciel « est beaucoup trop brillante pour que l'on puisse regarder ce qu'il y a dessous ». Lumière aveuglante.

De cette lumière physique, les cerveaux s'acharnent cependant à faire jaillir la lumière de l'esprit. Comme un leitmotiv, revient une question clef : à quel type de supernova a-t-on affaire, supernova de type I ou II ? La question n'est pas gratuite. Ces explosions de type différent ont des conséquences différentes pour notre univers. Des conséquences qui nous concernent directement, nous, êtres humains. Rompus à leur analyse scientifique, c'est en toute simplicité que les astronomes vous font ainsi des annonces renversantes. Quelque chose comme : « Sans supernovae de type II, nous n'aurions tout simplement pas existé. » Pourquoi cela ? Parce que ce sont elles qui ensemencent l'univers en éléments lourds. En métaux, qui, un jour, réunis par la gravitation, donnent naissance aux planètes. Planètes qui, comme chacun sait, peuvent devenir, à l'instar de la nôtre, havre de vie.

L'astronome Hubert Reeves, par son charme de conteur, a su faire entendre à beaucoup que nous étions fils des étoiles. Aujourd'hui, à l'heure du thé, je me sens fille de supernova.

Alors, type I ou II ? Le 25 février, un très officiel communiqué de l'ESO a commencé par pencher pour la première hypothèse : « La supernova s'est montrée presque constante en luminosité, pendant cinq heures d'observation photométrique (...). Sa couleur est très bleue, des spectres obtenus à résolution moyenne montrent des pics très larges, comme on en voit normalement dans les supernovae de type I. » Mais, depuis cette annonce, six bons jours se sont écoulés. Seuls, des enregistrements successifs des rayonnements venus d'il y a 170 000 années-lumière pourront départager les opinions. « On veut toujours classifier les choses dans des boîtes bien distinctes, dit Woltjer. Mais la nature ne va pas dans le même sens. » Elle se plaît à brouiller les pistes. Or, tels des policiers désorientés par de mauvais indices, les astronomes peuvent, en adoptant des hypothèses fausses, se mettre à chercher dans des directions inutiles. Pour bien se diriger, il faut réunir assez d'éléments fiables, émettre une hypothèse féconde. Ce qui permettra ensuite d'approfondir la recherche et de confirmer cette hypothèse. Sinon, d'une nébuleuse de données, même justes, ne pourra jaillir aucune étincelle de compréhension.

Cet aller et retour permanent entre expérience et théorie, entre recueil de données et quête d'un bon modèle, les novices superno-vistes le pratiquent en direct cet après-midi. Pour les uns et les autres, les mots clefs se nomment photométrie, spectres de faible dispersion, raies d'émission, d'absorption, présence ou absence de raies d'hydrogène. Ce qui se passe tout là-haut a en effet le bon goût d'envoyer la plupart du temps ce que l'on appelle les signatures des phénomènes. Elles parviennent sous forme de lumière visible, comme nos arcs-en-ciel décomposés en violet, indigo, bleu, vert, jaune, orange et rouge. Ou bien elles se font « invisibles », c'est-à-dire rayons : gamma, X, ultraviolet, infrarouge, radio. Les détecteurs ont la tâche de n'en laisser échapper aucune.

La situation est en effet exceptionnelle. Jamais il n'a été donné d'enregistrer quelques jours, quelques heures seulement après leur apparition, les messages d'une supernova naissante. « Il y a peu de chances de découvrir une supernova dans les phases initiales de son explosion. Habituellement, on ne la remarque que quelques semaines après son explosion », écrivait en 1983 l'astrophysicien américain George Greenstein, professeur au collège d'Amherst du Massachusetts, dans son livre *Frozen Star, le Destin des étoiles*. 1987A a su faire fi de cette faible probabilité. Il a fallu la découverte imprévue de Shelton, annoncée avec célérité, reprise avec enthousiasme.

L'assemblée retient du passé quelques données fondamentales sur les supernovæ, mais elle sait que, pour l'essentiel, elle taille à l'instant même ses connaissances dans un matériau tout neuf.

Le passé a du bon. Il prévoit que la supernova doit briller de plus en plus fort. De quoi réjouir les amateurs d'étoile mystérieuse. Mais la réalité du moment commence à lui donner tort. Si, les deux premiers jours, 1987A a bien voulu correspondre à la version déjà écrite de l'histoire, elle commence à se montrer rétive. Au début, le point lumineux proche de la Tarentule grandit. Les astronomes s'imaginent que 1987A va devenir aussi brillante que Sirius, la plus brillante des étoiles. « Son intensité va peut-être encore augmenter pendant trois semaines », m'a dit il y a cinq jours l'astronome français Alfred Vidal-Madjar. Or, curieusement, dès le 28 février, la supernova a semblé se calmer. « Pourquoi ne devient-elle pas plus brillante ? Pourquoi ce seuil ? Nous ne le savons pas et cela nous mystifie », déclare humblement John Danziger, astronome de l'ESO, habituellement basé à Garching près de Munich.

Heureusement, l'assemblée savoure d'ores et déjà quelques certitudes. Très vite après les premières observations et aujourd'hui encore, on voit bel et bien dans les spectres des raies caractéristiques de l'hydrogène. Pour les astronomes, cette présence est synonyme de supernova de type II. Peu importe la contradiction avec l'idée émise le 25 février. C'est l'accumulation d'informations qui sert de pièce à conviction. Qu'une première hypothèse soit jetée aux oubliettes, c'est la marche normale de la science.

Seulement voilà, ces rayonnements sont issus d'éléments éjectés par l'étoile à des vitesses inattendues. « Un mélange d'éléments s'enfuit à travers l'espace à des vitesses très élevées, entre 10 000 et 20 000 kilomètres par seconde », explique Woltjer. D'après les connaissances antérieures, elles ne devraient pas dépasser 6 000 kilomètres par seconde environ. « Vous allez voir que, probablement, on va finir par dire que cette 1987A est de type II " anormal ". » Autre « anormalité », qui trouble les expérimentateurs, la lumière ultraviolette qui jaillit de l'explosion. « A ses tout débuts, il y a une semaine, explique Danziger, elle était vraiment très très ultraviolette, avec une température de plus de 12 000 degrés, peut-être 15 000 degrés. Et puis voilà qu'hier, 2 mars, cette température était déjà radicalement tombée, 6 000 degrés. » Pour le profane, cette surprise laisse rêveur. Sans en saisir à ce moment la signification, je n'en retiens qu'un enseignement : jamais on n'a vu évolution aussi rapide. Les observateurs en sont tout ébaubis. Priés d'assimiler en un temps record les connaissances patiemment accumulées par leurs collègues spécialisés en supernovae, les voilà tout aussi vite en train de bouleverser l'ordre établi.

Sur la réunion flotte un mélange fascinant d'excitation et de crainte. Excitation parce qu'à La Silla est réunie la plus grande concentration de télescopes de l'hémisphère Sud. De surcroît, les récepteurs de certains — notamment le 3,60 mètres — sont parmi les meilleurs du monde. Si le travail s'effectue correctement pendant la nuit, les données ne devraient en rien céder à la concurrence. Un groupe se réjouit notamment des capacités d'enregistrement dans l'infrarouge. Sur le télescope de 1 mètre et sur celui de 3,60 mètres. « Jamais une supernova n'a été regardée dans ce domaine avec une telle résolution », estime Thibaut Le Bestre qui passe ses nuits auprès du 3,60 mètres.

Autre sujet de réjouissance, les enregistrements déjà obtenus sur le milieu interstellaire, qui s'étend entre la supernova et nous. Comme un pinceau lumineux trouant le brouillard, la lumière violente de l'explosion a révélé des éléments jamais vus. Le Français Alfred Vidal-Madjar et l'Italienne Paula Andreani détiennent le scoop astronomique de leur vie. Pour la première fois, ils ont détecté du calcium et du sodium dans l'espace intergalactique. « Une découverte d'autant plus intéressante, explique Woltjer, que cela nous donne des indications sur la composition du matériau très primitif qui existait avant la formation des galaxies. » Supernova n'est pas mesquine. En brillant tout là-haut, elle réussit à nous faire découvrir autre chose qu'elle-même. Elle donne un coup de projecteur sur une scène ancienne de l'histoire de notre univers. « La supernova est devenue pour nous un véritable outil cosmologique », selon l'Anglais Bob Fosbury, astronome à l'ESO.

Derrière l'accumulation des données, je sens pourtant poindre l'angoisse. Celle de voir un détecteur tomber en panne. D'être obligé de reprendre l'avion parce que le temps alloué au sommet de la montagne est arrivé à terme. Certains peuvent interpréter comme un signe du ciel le simple fait d'avoir été là au juste moment. Alfred Vidal-Madjar, Danielle Alloin font partie de ces heureux élus. Brusquement, le cosmos semble leur avoir fait un énorme appel de phare. Vidal-Madjar a déjà dû s'envoler pour la France. Au thé de la supernova d'aujourd'hui, Danielle, encore en sursis sur la montagne, semble s'amuser comme jamais, totalement sérieuse devant ses résultats et emportée par la fougue d'une découverte inattendue. « J'étais venue observer des quasars. La première nuit de la découverte, je n'étais même pas ici, à La Silla, mais chez les Américains à Cerro Tololo. Je n'étais pas encore en charge d'observation. Je passais mon temps à regarder le ciel. Quelle aubaine. Et puis, ici, tout de suite, tous les télescopes ont été mobilisés. Toutes ces ouvertures dans le même sens, c'est impressionnant. Oui, c'est vraiment extraordinaire. Nous sommes en train de tester toutes les théories stellaires. »

D'autres appréhensions s'insinuent. Celle d'apprendre par un astrogramme que certaines mesures — auxquelles on n'aurait pas songé — ont été effectuées par un autre observatoire. Ici, au Chili même, chez les concurrents américains proches, perchés sur une autre montagne, à Cerro Tololo justement. Ou peut-être en Australie.

A l'heure des petits gâteaux, c'est aussi le moment où virevoltent les rumeurs. Ainsi, celle des ondes gravitationnelles. Ce 3 mars, il m'est encore difficile de me faire une idée précise de ce qu'elle représente. Une seule chose est sûre. On en parle beaucoup, mais d'une manière étrange. Comme si un parfum de tabou flottait autour de cette information.

Une onde gravitationnelle, essayé-je de me remémorer, c'est une onde créée par un brusque déplacement de matière. L'explosion aurait-elle été ressentie sur terre comme un séisme ébranlant le cosmos ? Pour l'heure, personne autour de la table ne peut véritablement fournir d'explication fiable. L'information a un goût de deuxième, voire de troisième main. Des Italiens de Rome « auraient » détecté quelque chose. Si tel était le cas, ce serait une autre grande première pour la supernova. Le « super-scoop ». Quelques années plus tôt, un événement de ce type a déjà été annoncé par erreur. Mieux vaut donc se méfier. Voilà longtemps que l'on court après ce furet prédit par la théorie de la relativité d'Einstein. Pour le grand public, de multiples dessins ont voulu donner une idée de la chose, ésotérique. On représente généralement une concentration de matière par une grosse boule sur une sorte de tissu. A la place de la boule, le tissu (quadrillé) s'enfonce comme sous un gros poids. Que cette boule s'agite, et le tissu est soudain parcouru par une sorte de vague. Une vague déformant le tissu espace-temps du cosmos.

Simple observatrice et buveuse de thé, je me promets de revenir ultérieurement sur cette question. Une chose est sûre, la supernova a ébranlé non seulement les astronomes mais aussi les physiciens. La piste semble prometteuse, mais il est trop tôt pour en savoir plus. Autour de la table, chacun est désormais absorbé par la préparation de la tâche qui l'attend, dès ce soir, dans son télescope. La séance est levée.

Chapitre 5

La Silla,
une crête vers les étoiles

La nuit est parfaitement calme à La Silla. Les voitures roulent au pas, tous feux éteints, en veilleuses à la rigueur. Chaque astronome brandit une minuscule torche pour rejoindre son télescope, en la pointant consciencieusement vers le sol. Toute lumière parasite est bannie. Seuls les photons venus de l'univers ont le droit de pénétrer les optiques polies des instruments scientifiques.

Dans le silence, résonne un « tut tut » régulier, comme un chant de grenouille enrouée. L'appel répétitif monte d'une sorte de grande lessiveuse ouverte vers le ciel. Un salut aux extraterrestres ? Le sonar est beaucoup plus prosaïque. Il lance son onde sonore vers l'atmosphère, dont les couches renverront l'écho déformé. Des récepteurs sont chargés d'analyser ce retour, mesurant ainsi les perturbations, la présence ou non d'eau. Car ici, comme dans tous les observatoires au monde, l'obsession permanente se nomme qualité du ciel. Ce n'est pas un hasard si les télescopes ont été bâtis sur ce site. Avant la création de l'observatoire, les astronomes européens ont parcouru le monde pour trouver l'endroit idéal.

Les prospecteurs de pétrole sondent sous leurs pieds la terre et ses couches profondes. Déclenchent de mini-séismes artificiels pour détecter les poches d'or noir, cachées sous les strates déformées du sous-sol. Les chercheurs d'étoiles ont, eux, une barrière en apparence immatérielle à franchir, au-dessus de leurs têtes. Celle de notre atmosphère. Cette fine pellicule d'azote et d'oxygène parsemée de toutes sortes d'éléments chimiques — dont l'ozone pour lequel on s'inquiète aujourd'hui — enveloppe la planète. Elle vibre, glisse en couches successives comme les lamelles d'un gâteau feuilleté. La lumière venue du cosmos s'y brise, s'y noie, s'y contorsionne, comme un rai de soleil à travers la gaze moirée d'un voilage. Si elle provoque le plaisir simple du promeneur, ravi par le scintillement des astres, elle met les observateurs scientifiques au désespoir. Lumière absorbée, étoiles déformées, soubresauts de l'observation. Seuls les cosmonautes ayant survolé notre atmosphère ont découvert cette étrange vision d'un univers noir, piqueté de lumières fixes.

C'est cette fixité, cette netteté que les astronomes attendent inlassablement. Ils l'ont partiellement trouvée ici. En 1964, l'ESO a acquis un territoire de 625 kilomètres carrés à la pointe méridionale du désert de l'Atacama. En ces temps de pionniers, Hans-Emil Schuster, comme un ours des montagnes, est venu sous la tente prendre ses premières mesures. Les conditions atmosphériques très stables et l'air sec et pur du désert ont été mis en fiches : plus de six nuits sur dix, le temps nocturne donne une clarté intégrale. On a pu constater que la pluie et la neige sont rares. Les grandes villes, éloignées, ne perturbent pas les observations. Ni les autres, plus rapprochées mais petites, La Serena, à 100 kilomètres au sud-ouest, Vallenar à 60 kilomètres au nord.

Dans cette nuit, blanchie par les seules étoiles, les télescopes s'égrènent sur la crête nord-sud, incurvée comme un siège géant, en une procession de géodes entrouvertes. Chaque dôme blanc ou argenté est percé d'une grosse lucarne. Parfois, un bruit sourd retentit. Un dôme tourne, compensant la rotation terrestre pour suivre un objet fixe dans le ciel. Est-ce la fascination de ces chaudrons froids, ancrés sur leur bout de rocher, dans lesquels on ne sait quel bouillon se prépare, qui a empêché les astronomes d'ici d'être les premiers à voir la supernova ? Ou bien est-ce l'utilisation de la voiture, qui restreint les promenades nocturnes ? Curieusement, cette question me turlupine. Habitués à « pré-voir » leurs observations, à spécialiser leurs interrogations, les astronomes professionnels en oublieraient-ils de regarder le firmament ? Seraient-ils condamnés à ne voir que ce qu'ils cherchent ?

A la cafétéria règne une ambiance bruyante. Toutes les langues s'y côtoient. Français mais aussi anglais, allemand, suédois, espagnol, italien, hollandais, danois. Très vite, après quelques jours passés sur la montagne, se révèlent les petites habitudes. Ici, la table des Français, là, celle du directeur de l'observatoire, souvent solitaire, souvent décalé dans ses horaires de repas par rapport à ses collègues. On sent que l'enfermement guette. Toujours les mêmes têtes à croiser, au self-service, dans les couloirs, sur le chemin des chambres, dans l'escalier de la bibliothèque, sur la route vers les ateliers.

L'infrastructure est lourde, l'administrateur des lieux, Bernard Duguet, se sent à la tête d'une petite ville au sommet de la montagne. C'est qu'il y a ici aussi une mini-caserne de pompiers, un centre de premiers secours, un petit stade, une salle de cinéma. Sans compter, selon Wolfgang Bauersachs, responsable du génie civil, le réseau routier à entretenir, 35 kilomètres en tout, et la centaine de véhicules qui le sillonnent, depuis la 4L inter-coupoles jusqu'au camion-grue de 30 tonnes.

L'isolement géographique de La Silla est parfait pour l'observation. Plus dur à supporter pour la centaine d'humains sur ce bout de montagne. Les « missionnaires », de passage pour une ou plusieurs semaines, ne perçoivent que peu le mal de la montagne. Mais les permanents ont droit à un régime de faveur. Le « turno » que m'explique Daniel Hofstadt, responsable technique de toute l'instrumentation astronomique de l'observatoire : huit jours à La Silla, six jours de repos à La Serena ou Santiago. Pour voir la famille, et replonger dans l'univers « d'en bas ».

Ici, m'ont confié certains, l'espace devient parfois envahissant. Il semble cogner aux fenêtres, les traverser, et il arrive qu'on tourne le dos aux vitres car l'horizon bascule. Ce n'est pas le vertige, ni le mal physiologique des montagnes. Simplement, une situation paradoxale. Cet univers ouvert à la vue des montagnes, des rougeoyants couchers de soleil vers le Pacifique, à la vue de la route qui s'enfuit vers la vallée, devient une chambre close, dont on craint de ne pouvoir s'évader. Chaque jour, de courageux coureurs à pied s'engagent sur la route, quittent les bâtiments. Mais comme des yoyos avec un fil à la patte, ils doivent inéluctablement remonter. Un jour pourtant, l'un d'eux s'est échappé, voilà quelques années. Celui qui me raconte l'histoire m'en parle à mi-voix comme s'il évoquait sa grand-mère devenue chevrotante, prenant la tangente dans les champs de luzerne. Le coureur a quitté la route, rejoint la pierraille, couru sans regarder par-dessus son épaule. Il a fui. Et s'est perdu. Le soir, au repas, l'inquiétude a transpiré. Deux jours plus tard, le coureur était ramené au poste de garde.

Éric Schuman, le maître d'hôtel, en est convaincu : rien ne vaut la bonne cuisine pour empêcher que d'autres ne se débinent. La montagne lui plaît, à lui. Sa famille est restée en Europe et il vit ici, en bonne intelligence avec ses livres de recettes françaises ou allemandes. Chaque jour, il descend au Benio voir sa basse-cour locale. Il surveille son grillage, car les renards rôdent. De loin en loin, un condor passe. Il s'assoit avec précaution sur une pierre pour éviter les *vinchucas,* ces sales petites bêtes qui refilent la mortelle maladie de Chagas. Et apprivoise son lieu, autrefois habité par quelques Indiens. Patiemment, il y a récolté des pierres taillées, qu'il a soigneusement collées sur de grands plateaux de bois. Et il s'est fait presque géologue. Derrière son bureau, près du restaurant, il amoncelle les pierres brillantes, veinées, boursouflées. Dans sa chambre, il a même disposé un crâne humain indien, perforé d'un gros trou, dû à une trépanation ou à une agression mortelle. Pendant que les équipes d'Hofstadt améliorent les performances de chaque instrument, s'assurent qu'il est constamment prêt à l'emploi, ou interviennent d'urgence sur une panne par appel d'un « bip bip », Schuman concocte ses moussaka, cœur aux carottes ou bifteck béarnaise. Il faut du cœur au ventre pour affronter le cosmos. Et quelques calories en plus pour la nuit dans un télescope.

En 1966, il n'y en avait qu'un, le « 1 mètre ». Neuf ans plus tard, c'était au tour du « Schmidt » de fonctionner. Au début 1989, quinze télescopes étaient en service. Le plus grand, avec un miroir de 3,60 mètres, compte parmi les plus puissants au monde. Le dernier-né, le NTT (télescope à nouvelle technologie), est de conception totalement nouvelle. La principale nouveauté réside dans le miroir primaire, fabriqué en matériau fin et flexible, dont la courbure est constamment pilotée par ordinateur.

Le 3 mars 1987, c'est vers le 3,60 mètres que je me dirige. Dans la nuit, la silhouette de son bâtiment, 15 mètres de haut, est la plus impressionnante. A la base du dôme, un balcon dessine une fine collerette. L'entrée est imposante, décorée d'une fresque rappelant les anciens temples indiens. L'intérieur, plus prosaïquement bétonné. J'emprunte l'ascenseur pour me rendre à la salle de pilotage. Thibaut Le Bestre est déjà concentré sur ses courbes à l'écran. Nul besoin pour le chercheur de s'approcher réellement du télescope, seul dans sa salle sombre et froide. Mais moi, j'ai envie de redescendre pour lui rendre une petite visite. Un escalier se déroule contre la paroi du vaste cylindre qui abrite l'installation. Comme dans les rêves, on croirait une descente aux Enfers, la rambarde est sonore, l'espace résonne comme une cave enterrée. Je pousse un cri pour tester l'écho.

Enfin, voilà la porte d'entrée du hall où trône le télescope. Une grille protège les parties fragiles, les détecteurs ultra-sensibles qui remplacent aujourd'hui l'œil de l'astronome et les plaques photo.

Sur le 3,60 mètres, on utilise désormais systématiquement les plus sophistiquées des caméras CCD, détecteurs capables d'enregistrer les lumières les plus ténues. Sur leur réseau quadrillé, chaque photon, chaque grain de lumière est piégé, repéré. Il donne naissance à un signal électrique amplifié que l'on pourra ensuite représenter graphiquement sur écran. A l'heure qu'il est, Thibaut observe justement à l'étage au-dessus les grains de lumière de la supernova. D'abord, il lui a fallu toute une préparation. Repérer 1987A, et s'aider d'une étoile-guide. Puis effectuer la mise au point et différentes calibrations. Pour ce travail, l'ordinateur a été constamment mis à contribution. Dans l'immense salle sombre, sous les tubulures qui soutiennent le miroir, ma surprise monte. Il semble impossible que ce diplodocus soit capable de pointer avec précision vers un détail du cosmos. Les lunettes des astronomes amateurs, avec leur air de boîtes blanches à transporter des posters, semblent conçues pour piéger de petits points lumineux. Mais cette vaste machinerie a des allures de baleine gloutonne. D'avaleuse d'étoiles comme l'autre l'est de plancton, sans faire de détail. Impression fausse.

Dans le froid de la montagne, sous ces tonnes de métal, surgissent de curieux frissons. Peur, non pas que le ciel tombe sur la tête, mais, plus prosaïquement, que l'installation humaine soit défaillante. Je songe aux aller et retour des avions au-dessus de l'Atlantique, puis des camions dans le désert, transportant l'instrument, morceau par morceau. Au patient travail d'assemblage. Aucune torsion des tubulures n'est permise, aucun affaissement lorsque les vérins font lentement pivoter l'énorme masse. Le pivotement, réglé automatiquement, a l'implacabilité d'une meule invisible. Une rotation lente qui écraserait tout sur son passage. Un astronome est mort, une nuit, dans un autre observatoire, d'avoir oublié que son instrument tournait. N'était cette mort d'homme, l'histoire serait risible. Un scientifique n'a pas le droit d'oublier que tout, en ce monde, est en perpétuel mouvement. Rotation, translation. Vitesse, accélération. Énergie... Tous ces mots rendus squelettiques par la formulation mathématique reprennent du corps avec l'astrophysique.

A l'étage des néons et de l'ordinateur, Thibaut Le Bestre se réjouit. Explorant le rayonnement venu de la supernova dans l'infrarouge (1 à 1,4 micron de longueur d'onde), il atteint la meilleure résolution, la meilleure précision jamais obtenue. De fait, toutes les données en infrarouge sur les supernovæ ont été assez pauvres jusqu'à présent. Dans son vaste miroir, le 3,60 mètres accueille généreusement l'inconnue.

Chapitre 6

Anatomie stellaire

Alors que les photons tombent après un long voyage sur les télescopes, je mesure le chemin qu'ont dû également parcourir les esprits humains depuis l'*Homo habilis* jusqu'au *sapiens sapiens* moderne. Du moins pour ceux qui ont eu du goût pour l'observation et la pensée scientifique.

A l'origine, impressionné par les apparences, l'homme ne devait voir que de l'immuable dans le ciel. Chaque nuit claire lui en apportait la certitude renouvelée. Il suffisait de basculer la tête vers les étoiles. Avec un peu d'attention, il reconnaissait, isolément ou par groupes, les éternelles visiteuses du soir. L'enfant et même l'adulte d'aujourd'hui, le nez vers la voûte céleste, sont prêts aux mêmes observations. Ici la Grande Ourse, là le Dragon, un peu plus loin, l'Étoile polaire. Nuit après nuit, elles brillent de leurs mêmes feux, parfois bleutés, parfois blancs, parfois clignotant du rouge au vert. Toujours présentes, lumières familières d'un plafond idéal.

Aristote, le philosophe grec, y avait vu une loi naturelle. Le ciel était le domaine de la pérennité. Mieux, de la perfection. Tout le contraire de notre Terre, sans cesse sujette aux bouleversements, aux variations. Un cloaque d'imperfection. A la base de ces opinions invérifiables, il y avait l'ignorance de certains mécanismes fondamentaux, aujourd'hui connus, de la physique. Et le tout se teintait d'une dose de morale. La perfection se logeait donc dans la stabilité, l'immuabilité. A la rigueur, dans l'éternel recommencement, à l'image des croissants de lune, rituels revenants de la nuit.

Nos connaissances modernes ont bouleversé ces schémas. A la permanence a succédé le changement. A l'immuabilité, l'évolution.

Le monde n'a pas été créé en sept jours, toutes étoiles, galaxies, Terre, bactéries, lions, condors, hommes et femmes, prêts pour une ronde jusqu'à l'Apocalypse. Tout n'a pas toujours été. Ni notre espace ni notre temps. L'univers n'est qu'un formidable champion de la transformation permanente. C'est de cette perpétuelle transformation que l'on serait en droit de s'étonner aujourd'hui. Sans lui attribuer d'épithète. Parfaite, imparfaite, là n'est plus la question. La science moderne, dégagée, autant que faire se peut, de la métaphysique, cherche les lois auxquelles obéissent les choses de la nature. Les lois de cette transformation. Si perfection l'on cherche, c'est dans l'adéquation des hypothèses lancées par l'esprit humain avec ses observations du cosmos. Einstein lui-même s'en étonnait. Oui, le monde est compréhensible.

Le cosmos est. Tout le jeu consiste à le découvrir. A dénommer ses habitants. A traquer les secrets de leurs entrailles. A les mettre en équations. A établir des catalogues, des références, des recoupements. Rien n'empêche de s'extasier sur la multitude des formes, des aventures célestes, des destins différents. Mais l'extase doit être bien comprise. Émotion devant l'infini, grand et petit, devant le subtil et l'énorme; stupeur devant l'improbable et le certain; admiration respectueuse de l'inéluctable. Peu importe la forme prise, l'extase doit avant tout pousser à l'étude, ou bien lui faire suite. Elle ne saurait la remplacer.

L'immuable du temps jadis n'était qu'illusion. Illusion d'éternité, pour nous, mortels. Ces myriades de lumières — venues de trois mille étoiles visibles à l'œil nu, plusieurs millions dans l'œil des télescopes, des trillions de trillions dans l'univers tout entier — ne surgissent pas de l'étrange matériau, doté de la vertu immanente de resplendir, qu'imaginaient les *sapiens sapiens* de l'Antiquité ou du Moyen Age. Curieuse façon de voir les choses, à tout prendre. Comme l'opium moliéresque n'est ce qu'il est que par sa vertu dormitive, les étoiles s'étaient vu doter d'une vertu brillante.

La science moderne a fait le deuil des tautologies, des cercles vicieux explicatifs, comme de l'illusoire simplicité. Elle sait désormais que les âges et les distances « astronomiques » ne sont pas synonymes d'éternité ou d'infini. Que les étoiles, proches ou lointaines, sont nées et mourront. Vivent leur vie d'étoiles. Ont une enfance, un âge adulte, un troisième âge. Grandissent, rapetissent, changent de couleur, de « nature », explosent parfois.

Il nous a fallu des générations, à nous mortels et sûrs de l'être, pour comprendre ces vies et morts mouvementées du cosmos. Il a d'abord fallu dépasser la « simple » action de voir. Comprendre

48

que des mécanismes étaient cachés dessous. Imaginer qu'il y avait là du sens à l'œuvre. Mais aussi vaincre des tentations. Celle, par exemple, d'abandonner tout espoir d'appréhender ce qui est lointain, inatteignable. Il a fallu abattre la croyance pessimiste d'Auguste Comte selon laquelle on ne connaîtrait jamais la composition chimique des étoiles. Il fallait pour cela débusquer la lumière, interroger son aveuglante évidence.

C'est au siècle dernier que l'homme s'y est risqué. Avec, en particulier, la « découverte merveilleuse de la spectroscopie », comme l'a qualifiée l'astrophysicien théoricien Michel Cassé, dans son livre *Nostalgie de la lumière*. Dès le XVIIe siècle, Newton avait décomposé les rayons lumineux en les faisant passer au travers d'un prisme de verre. Un siècle et demi plus tard, l'opticien allemand Joseph Fraunhofer poussa plus loin l'investigation scientifique de l'arc-en-ciel. Ce que nos cils, quand nous sommes allongés sur la plage, ce que les milliers de gouttes d'eau d'une averse font tout naturellement, Fraunhofer le retrouva, en mieux, grâce à un petit appareillage astucieux, un fil tendu sur deux vis parallèles. Il y scruta le spectre solaire et y découvrit d'étranges discontinuités. Loin d'un éventail continûment déployé, le spectre solaire est entaché de sombres raies. Des vides de lumière.

Depuis, avec la spectroscopie, ont pu être analysés tous les rayons lumineux venus du ciel. Ceux du Soleil mais aussi d'Alpha du Centaure, ou de Bételgeuse. On y a découvert les couleurs simples, mélangées dans le rayon. Du bleu, du vert, du jaune, du rouge. Des couleurs correspondant à des longueurs d'onde bien précises de la lumière, dotées d'une plus ou moins grande intensité.

Un autre scientifique allemand, Gustav Kirchhoff, donna la raison du phénomène. Il montra que cette panoplie d'Arlequin recelait l'identité du personnage « émetteur ». A chaque raie spectrale ou ensemble de raies, il comprit que correspondait tel élément chimique ou tel corps. Le Suédois Angström reconnut à sa suite l'hydrogène dans le spectre solaire. Derrière la lumière se cachait la matière.

Rapidement, les astronomes ont compris le parti à tirer d'une telle analyse spectrale. Pickering, de l'université de Harvard, fut le premier à la développer de façon systématique sur les rayonnements stellaires. Il entreprit de classifier les spectres de plus de 200 000 étoiles.

Aujourd'hui, on sait que l'analyse spectrale, se présentant sous forme d'une succession de raies, correspond à la composition chimique des gaz lumineux de l'étoile, ses émetteurs, et de ses gaz sombres, absorbant la lumière. Mieux, grâce à de nouveaux détecteurs, c'est à l'invisible que s'est peu à peu étendue la recherche. Aux rayons X, gamma, infrarouges, ultraviolets... Mais en cette fin du XIXe siècle, on n'en était pas encore là. On n'imaginait pas encore de quelle source coulait cette lumière. Et pourtant, lentement, à tâtons, on commençait à se poser les questions essentielles. On commençait à approfondir le concept d'énergie. Le physicien allemand Hermann von Helmholtz élabora le premier la loi de conservation de l'énergie, selon laquelle l'énergie ne peut être créée ou détruite : elle change de forme. Rien ne se perd, rien ne se crée, tout se transforme. Regardant notre Soleil avec cette idée en tête, il se demanda quelle pouvait bien être la transformation à l'œuvre dans ce chaudron-là ? Excellente question, qu'il se posait malheureusement un peu tôt. A l'époque, il ne pouvait penser qu'en termes de combustion chimique, ou — hypothèse qu'il retint finalement — d'attraction gravitationnelle. En se contractant, en s'effondrant sur lui-même, pensa Helmholtz, le Soleil écrasait ses couches internes qui libéraient leur énergie sous forme de rayonnement. Malheureusement, cette hypothèse conduisait à imaginer une telle taille au Soleil à ses tout débuts que sa surface aurait atteint l'orbite terrestre il y a quelques dizaines de millions d'années. Lord Kelvin, lui aussi subjugué par cette hypothèse, avait même calculé une limite supérieure à l'âge du Soleil, 20 à 30 millions d'années.

Conséquence immédiate, notre Terre n'aurait pu naître que bien plus récemment. Trop récemment au goût des géologues et des biologistes, qui enquêtaient plus que jamais en cette fin de siècle. Bien loin des six mille ans des croyances chrétiennes, voilà qu'avec leurs découvertes, notre Terre ne cessait de prendre un coup de vieux. Ce n'était plus en milliers ou dizaines de millions d'années qu'il fallait évaluer son âge, mais en centaines de millions, voire en milliards d'années. Darwin étant passé par là, ni Helmholtz ni Kelvin ne pouvaient avoir raison. Notre Soleil brille depuis beaucoup plus longtemps et ils étaient bien incapables de dire pourquoi. Seule la « révolution nucléaire » devait jeter quelque clarté sur le mystère. Si la correspondance entre lumière et matière de l'étoile ne va de soi ni pour le profane d'aujourd'hui ni pour les savants d'alors, il n'y a là rien d'étonnant. Pour y comprendre quelque chose, il a fallu toutes les découvertes successives du XXe siècle. Et la recherche est loin d'être close.

Le premier grand tournant date de 1896, quand le Français

Henri Becquerel découvrit la radioactivité. Sans qu'il connaisse exactement les mécanismes à l'œuvre au cœur de la matière, il s'aperçut que les atomes d'uranium se dissociaient en atomes plus petits. Un processus lent et régulier, que nous connaissons bien aujourd'hui sous le nom de fission. Rapidement, Pierre Curie parvenait à démontrer que la radioactivité produit de la chaleur. En extrapolant, il devenait possible d'imaginer que de grosses quantités de matière radioactive, notamment celles de la Terre, produisent une fantastique quantité de chaleur. On tenait là une nouvelle source d'énergie, inconnue jusqu'alors. C'est elle qui fut, ultérieurement, capturée et maîtrisée pour construire les réacteurs nucléaires, producteurs de chaleur et d'électricité.

Une telle connaissance ne résolvait pas pour autant le mystère stellaire. A l'époque, les matériaux radioactifs connus se limitaient à l'uranium et au thorium. Avec les premières indications spectrales déjà obtenues sur notre Soleil (beaucoup d'hydrogène), il était impossible d'imaginer celui-ci sous forme d'une sphère d'uranium, en lente désintégration. D'autres mécanismes mettant en jeu cette nouvelle énergie devaient se produire. Il fallait percer plus loin les secrets des atomes.

C'est ce que fit Ernest Rutherford en 1906. Contrairement à ce que l'étymologie voulait faire comprendre, ces atomes (« qui ne peut être coupé ») ne sont pas les constituants ultimes de la matière, proposa Rutherford. Bien au contraire, il fallait, selon lui, leur imaginer une structure : au centre, un cœur, le noyau atomique, lui-même composé de protons et de neutrons ; en périphérie, des électrons, qui ne cessent de tournoyer. Le premier possède une charge positive, les seconds des charges négatives. Globalement, l'atome est neutre, sauf s'il perd ou capture un (ou plusieurs) électron(s). On sait aujourd'hui que cette structure ressemble curieusement à un formidable vide. Image classique des livres du secondaire : le noyau n'occuperait pas plus d'espace dans l'atome qu'une orange sur la place de la Concorde.

Mais cette orange, à y regarder de près, est le plus fantastique réservoir d'énergie qu'on eût pu imaginer. C'est le noyau et lui seul, découvre-t-on alors, qui cèle la source de la radioactivité. La nouvelle énergie reçoit son nom de baptême définitif : énergie nucléaire.

Les premières décennies de ce siècle n'y échappent pas. Toute la physique de pointe tourne autour de ces nouveaux venus que sont les nucléons (composants du noyau), protons et neutrons. Rapidement, les physiciens ne se contentent plus de travailler sur des atomes « naturellement radioactifs ». Grâce aux nouvelles machines qu'ils mettent au point, les accélérateurs de particules, ils deviennent capables de produire des éléments radioactifs jusqu'alors jamais vus dans la nature. Petit à petit, ils découvrent les règles de composition des différents noyaux d'atomes, dressent des tables de correspondance entre eux. Tel noyau radioactif se désintègre en d'autres noyaux, qui, à leur tour, donnent naissance à une troisième génération...

Peu à peu, les chercheurs découvrent les lois régissant l'univers des atomes et de leurs noyaux. S'étonnent de leurs affinités ou de leurs curieux mépris, de leur stabilité ou instabilité. Ainsi, les noyaux les plus stables ont une affinité pour les nombres pairs. Ils aiment que protons et neutrons, chacun de leur côté, soient tous deux pairs. Ainsi vont l'hélium (deux protons, deux neutrons), le carbone (6p, 6n), l'oxygène (8p, 8n), etc. Ceux qui brisent ces règles semblent condamnés à une vie extrêmement courte. Ce qui ne les rend pas pour autant indignes d'intérêt. Au contraire, fabriqués dans les accélérateurs, ils racontent une histoire complémentaire de ce que l'on peut observer, par exemple, sur notre Terre. On voit tel atome de nickel émettre un rayonnement pour donner finalement du fer, stable. De véritables généalogies s'établissent entre parents : pères, fils, instables ; petits-fils stables. Toute une branche de la recherche atomique se consacra pendant des années (et encore aujourd'hui) à ces parentés fondamentales de la nature, à cette description des familles élargies : noyaux frères — baptisés isotopes, au nombre variable de neutrons — et leur descendance.

Dans le même temps, les physiciens s'expliquent peu à peu ces multiples transformations. Ils commencent à mettre des noms sur les rayonnements nés de ces jeux de la matière. Ils s'aperçoivent que dans le noyau, le neutron se change parfois en proton, lâchant au passage un électron, accompagné d'une particule quasi indétectable, un neutrino : c'est la radioactivité bêta.

Ils comprennent aussi que leur observation des premiers temps — cette cassure des noyaux lourds baptisée fission — est loin d'être le seul processus important à l'œuvre dans la nature. Au contraire, en regardant du côté des noyaux légers, c'est le processus « opposé » qu'ils subodorent. Les noyaux peuvent s'agréger pour donner naissance à d'autres, plus lourds. C'est la fusion.

La connaissance ne bouleverse pas seulement les chapitres ésotériques des livres scientifiques. Elle bouleverse aussi les mentalités. Jusqu'à ces premières années du XXᵉ siècle, pour nombre de leurs expériences, les scientifiques avaient raisonné en des termes gardant l'échelle humaine. Brusquement, le nucléaire casse cette habitude. Comme le rappelle Evry Schatzman dans son livre *le Message du photon voyageur,* les scientifiques s'aperçoivent que ce que l'on appelait encore à l'époque la chimie nucléaire peut mettre en jeu « des quantités d'énergie un million de fois plus élevées que celles des transformations chimiques ».

L'exemple type est la comparaison entre la combustion de l'hydrogène et de l'oxygène pour donner de l'eau et la fusion de noyaux d'hydrogène pour donner de l'hélium. Dans le premier cas, on raisonne en termes d'atomes, se combinant pour donner naissance à une molécule d'eau (deux atomes d'hydrogène, un atome d'oxygène). Quand cette molécule d'eau se forme, une certaine quantité d'énergie est relâchée. Elle correspond à l'énergie de liaison de la molécule. Ce relâchement d'énergie permet en quelque sorte la « soudure » de la molécule. Quand quatre noyaux d'hydrogène se « soudent » pour donner un noyau d'hélium, là encore, une énergie est relâchée, assurant la liaison du nouveau noyau. Différence notable, elle est deux cent mille fois plus forte dans la deuxième réaction que dans la première. L'énergie de fusion défie l'échelle des grandeurs auxquelles les humains s'étaient habitués. Même dans les explosions chimiques les plus violentes, comme celles du TNT, le trinitrotoluène.

La fusion, désormais, ne nous quittera plus. Entre les années quinze et vingt, de nombreux scientifiques (plusieurs noms sont cités par les scientifiques actuels, Jeans, Russell, Perrin, Harkins...) voient dans cette nouvelle énergie la clé de l' « éternelle » lumière stellaire. Mais il faut attendre 1938 et le très renommé physicien américain d'origine allemande Hans Albrecht Bethe pour que le mystère soit mis en équations. La fusion règne peut-être dans le cœur des étoiles mais elle ne résume pas, à elle seule, comme par magie, l'histoire de l'astre.

Dès la fin du XIXᵉ siècle, une fois encore, des scientifiques se sont préoccupés, non pas seulement de trouver le « moteur » qui fait vivre l'étoile, mais aussi de décrire l'état dans lequel elle vit. Comme les Anciens l'avaient forcément noté, comme nous le faisons chaque jour avec notre étoile favorite, le Soleil, les scientifiques ont constaté que, la plupart du temps, l'étoile vit une vie paisible, sans soubresauts particuliers. Toutes n'explosent pas tout le temps, ou cela se saurait, et elles dispensent régulièrement leur lumière et leur chaleur dans l'univers environnant.

Toute étoile, bonne vivante, semble avoir trouvé son équilibre.

Les scientifiques, qui vont plus loin dans les concepts, précisent cette idée. L'étoile est à la fois en équilibre hydrostatique (elle ne s'effondre ni n'explose) et en équilibre thermique. Thierry Montmerle et Nicolas Prantzos, dans leur livre *Soleils éclatés,* rappellent que J. Homer Lane fut le premier à commencer des recherches sur l'équilibre hydrostatique des étoiles en 1870. Selon lui, l'étoile devait être considérée comme une grosse boule de gaz chaud, soumise à deux effets antagonistes. L'un tendant à la faire s'effondrer sur elle-même, l'autre à se répandre dans le cosmos. Derrière le premier, on aura reconnu l'un des maîtres de l'univers, la gravitation. Cette force, magistralement reconnue par Newton puis raffinée par Einstein, règne sur tous les objets de ce monde. Souvent appelée attraction gravitationnelle, cette force est en effet toujours attractive. Nous la connaissons bien par ses effets terrestres quotidiens. C'est à cause d'elle que les objets tombent des tables, irrésistiblement attirés par l'énorme masse que constitue notre globe. C'est elle aussi qui régit la ronde de la Lune autour de la Terre, celle de notre Terre et des autres planètes autour du Soleil. C'est elle, donc, qui empêche les particules de gaz stellaire de s'envoler tous azimuts, et tend à les concentrer au centre de l'étoile.

Seulement voilà, le deuxième effet ne laisse pas la gravitation régner à sa guise. Il s'agit de la pression interne due à la chaleur d'enfer régnant au cœur de l'étoile. Les scientifiques disposent désormais d'images parlantes pour nous faire comprendre un tel phénomène. Plus un gaz est chaud, plus ses particules s'agitent en tous sens, expliquent-ils, et plus la pression sur l'environnement augmente. C'est ainsi que l'étoile combat sa tendance à l'effondrement.

Dans les années vingt, l'astronome britannique Arthur Eddington, poussant ce raisonnement dans ses retranchements, parvint à en extraire des données particulièrement novatrices pour tous les chercheurs. Mettant ces idées en équations, il parvint à évaluer la température au cœur du Soleil, de façon que celui-ci ait la taille qu'on lui connaît : 15 millions de degrés. Une température phénoménale. Le genre de nombre qui a le don de nous plonger dans une parfaite perplexité, nous les profanes, car rien de commun ne nous est connu dans notre vie habituelle. Et pourtant, c'est ce que l'on cherche aujourd'hui à reproduire dans les prototypes de réacteurs à fusion nucléaire bien terrestres.

Dans une telle fournaise, on s'en doute, la matière est dans un drôle d'état. Il a fallu, une fois encore, bien des progrès de la physique pour parvenir à la décrire. Et tout autant de progrès technique pour parvenir à recréer, ne serait-ce que fugitivement, un tel environnement en laboratoire. Ce que l'on sait aujourd'hui, c'est que le gaz d'une étoile ne peut être directement comparé aux gaz auxquels nous sommes habitués, par exemple l'oxygène et l'azote que nous respirons.

Sur Terre, les gaz sont des ensembles d'atomes (de molécules) éloignés les uns des autres. Tellement éloignés à l'échelle microscopique qu'il est possible de les rapprocher, en comprimant le gaz. Dans une étoile, dont la température dépasse plusieurs milliers de degrés, les atomes ne sauraient vivre tranquillement une vie « terrestre », noyaux et électrons tournoyant sagement autour. La belle structure se déchiquette et vire au chaos. Dans l'immense vide de l'atome (la place de la Concorde évoquée plus haut), noyau et électrons circulent en tous sens, librement, chacun transportant sa charge électrique. Quand deux noyaux se rapprochent un peu trop, leurs charges tendent à les repousser, de même pour les électrons. Et si un noyau continue d'attirer des électrons, la température ambiante a vite fait de les séparer.

Le gaz de l'étoile a viré à ce que les scientifiques baptisent gaz ionisé ou plasma. Du cœur à la surface, l'étoile n'est qu'un océan de plasma, plus ou moins comprimé, plus ou moins chaud. Un océan où la lumière — l'énergie — se fraye un chemin bien difficile. Un chemin si long et compliqué que jamais les Anciens n'eussent pu imaginer pareille complexité.

Si, au début du siècle, les travaux de Rutherford ont jeté les premiers éléments de compréhension des composants de l'atome — neutrons, protons, électrons —, c'est à Einstein qu'il faut faire appel pour y voir plus clair à ce stade de notre récit. Avec, d'emblée, l'équation tombée dans le domaine public mais ô combien fondamentale qu'il énonça : $E = mc^2$. Ce qu'il faut retenir ici, c'est l'équivalence découverte par le grand Albert entre énergie et matière. Une équivalence qui permet de comprendre en particulier ce qui se passe lors de la fusion de deux noyaux. Comme je l'ai dit plus haut, quand quatre atomes d'hydrogène fusionnent pour donner un noyau d'hélium, il y a relâchement d'énergie. Ce relâchement d'énergie correspond à un défaut de masse de l'hélium. En d'autres termes, le noyau d'hélium a une masse globalement plus faible que la somme des masses des quatre noyaux d'hydrogène pris séparément. Notre « intuition », notre bon sens nous sont ici de peu d'aide pour comprendre. Quatre noyaux d'hydrogène qui fusionnent ne sont pas quatre boules de billard se « collant » avec on ne sait quelle glu. Il n'y a pas apport d'une quelconque matière adhésive pour réaliser la fusion. Au contraire, c'est la petite perte de masse qui permet la cohésion. L'énergie relâchée est équivalente au défaut de masse par la vertu de l'équation d'Einstein. Une énergie vite phénoménale, vu la présence dans les termes de l'équation du carré de la vitesse de la lumière (c = 300 000 kilomètres par seconde). Une énergie transportée par une gerbe de particules. Celles-ci, nous les connaissons déjà. Nous les avons évoquées à maintes reprises, sans avoir exactement précisé à quoi elles correspondaient. Ce sont les photons, les quanta d'énergie chers à Einstein.

Ceux que nous connaissons le mieux, avec qui nous vivons chaque jour, sont les photons lumineux. Autant s'en faire une petite représentation, même un peu naïve, si elle peut aider à la compréhension. D'abord, une donnée, livrée par les savants qui — on commence à s'y faire — ne tombe pas forcément sous le bon sens. Un photon n'a pas de masse : il est énergie pure. Il circule à la vitesse faramineuse énoncée plus haut, 300 000 kilomètres à la seconde. Mais il y a plus fort. A cette particule, comme à toutes les particules d'ailleurs — c'est le physicien français Louis de Broglie qui l'a découvert — il faut associer une onde. Une fois encore, rien n'est simple dans ce monde de l'infiniment petit : on ne saurait considérer le photon comme une quelconque boule de billard. Il est beaucoup plus que cela. C'est une particule-onde que les détecteurs enregistrent. Dans certaines expériences, c'est son côté grain qui domine, dans d'autres son côté onde. Mais une chose est sûre, sa dualité est constamment présente. Voilà pourquoi, pour ce qui nous concerne ici, nous parlons de longueurs d'onde de la lumière, des rayons X, de la radio, etc. Il y en a des petites, très petites (les photons gamma), il y en a des grandes (ondes radio). Les premières correspondent à des énergies très intenses, les deuxièmes à des énergies plus faibles.

Dans le phénomène de fusion qui, nous l'avons vu, fait intervenir de très grandes quantités d'énergie, ce sont des photons gamma qui sont relâchés. Au cœur de l'étoile, quand quatre noyaux fusionnent — ce qui n'a lieu qu'une fois sur plusieurs milliards de collisions entre noyaux —, un photon gamma très dur, très énergétique, se met à virevolter dans l'océan de plasma, constitué par les protons, neutrons, électrons. Que lui arrive-t-il ? Ce qui arrive à toute énergie dans le monde de la matière microscopique. Elle est absorbée, puis relâchée, et encore absorbée puis relâchée. Ces multiples absorptions et émissions successives parviennent peu à peu à diluer l'énergie fantastique des débuts.

Petit à petit, cette énergie se fraye un passage du cœur de l'étoile vers sa surface. Mais pas en un clin d'œil — un peu plus de deux secondes pour notre Soleil — comme on pourrait naïvement l'imaginer, en songeant uniquement à la vitesse qui anime les photons. Au contraire, le parcours zigzagant est long, très long, plusieurs millions d'années, passées à subir d'incessantes absorptions-émissions. Disons, en simplifiant, que le parcours se fait plus rapide, plus on se rapproche de la surface, car la matière s'y fait moins dense. Dans le même temps, la dureté de très nombreux photons s'amoindrit (de gamma, ils deviennent X, lumineux, infrarouges...) car les collisions dans le plasma sont moins énergiques. De la surface — les scientifiques aiment dire « la peau de l'étoile » — s'échappe finalement toute une panoplie de photons. Des gamma (ceux de notre Soleil sont heureusement arrêtés par l'atmosphère), des X, des ultraviolets (nous combattons ceux du Soleil à coups de crème solaire et les abeilles savent les voir), de la lumière (que notre œil humain sait capter), des infrarouges (notre corps sait reconnaître la chaleur de ceux émis par le Soleil)...

Pour s'y reconnaître dans cette zoologie stellaire, les scientifiques disposent aujourd'hui d'un diagramme, entrepris indépendamment par deux astronomes, le Danois Ejnar Hertzsprung et l'Américain Henry Russell, montrant la relation entre la luminosité et la température de la peau des étoiles. Il y en a pour tous les goûts : de belles bleues bien chaudes (les « O »), aux rouges beaucoup plus froides (les « M ») en passant par celles ressemblant à notre Soleil. Lui, c'est une jolie jaune pas trop chaude (une « G »).

Jamais *Homo habilis* n'aurait pu imaginer pareil tohu-bohu. Et il faut bien admettre que beaucoup de *sapiens sapiens* l'ignorent encore superbement. Dommage ! Ils trouveraient d'autant plus de raisons de s'émerveiller lors de certaines aurores et auraient de quoi longuement méditer au crépuscule.

En marchant sur la route sombre de La Silla, par cette simple nuit chilienne, je n'ai pu m'empêcher de songer à cette complexité d'ores et déjà analysée, alors que mes yeux ne pouvaient voir que des têtes d'épingles scintillantes. Oui, je me suis enthousiasmée pour ces équations forgées ici-bas, équations qui sont parvenues à démêler l'écheveau invisible du ciel. J'ai été ravie que la compréhension scientifique ait une portée universelle. Que les percées au cœur de l'infiniment petit aient rejailli vers l'infiniment grand. Que ce lointain soit si proche. Les plus au fait de ces questions, les scientifiques eux-mêmes, s'étonnent encore des « miracles » de l'étoile, c'est dire... Ainsi, l'étoile est capable de contrôler son « feu » nucléaire, comme nous l'évoquions plus haut, sans explosion immédiate. En d'autres termes, pourquoi les étoiles ne sont-elles pas de superbombes atomiques ?

Les astrophysiciens nous expliquent désormais qu'il faut voir dans ces habitantes de l'univers de merveilleux thermostats. Leur raisonnement est assez facile à comprendre. Sous l'effet de l'attraction gravitationnelle, perpétuelle force à l'œuvre entre les éléments, imaginons que le cœur de l'étoile se contracte un peu plus que la normale. Sa chaleur augmente et les réactions de fusion, très sensibles à la chaleur, s'emballent. Aussitôt, l'énergie dégagée par ces réactions donne une agitation accrue aux particules du plasma. Du coup, celui-ci se dilate et, dans le même temps, se refroidit. Les réactions nucléaires s'apaisent. L'étoile retrouve son équilibre. Que

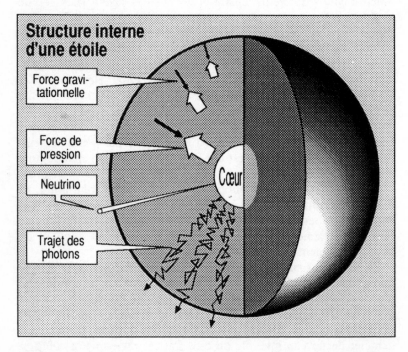

Figure 4. *Dans une étoile comme notre Soleil, des forces antagonistes ne cessent de s'affronter : la gravitation oblige la matière à se concentrer vers le cœur de l'étoile tandis que la force de pression oblige les gaz à se dilater. Les rayonnements (photons) nés des réactions nucléaires filtrent difficilement vers la surface, alors que les neutrinos s'échappent sans interaction.*

les réactions nucléaires s'apaisent un peu trop et un processus « inverse » se met en place. L'énergie dégagée devient faible, le plasma ne s'agite plus assez, sa pression interne diminue. Du coup, l'attraction gravitationnelle reprend ses droits, elle fait se comprimer le cœur de l'étoile et les réactions nucléaires repartent. Comme le disent aujourd'hui les astrophysiciens dans leur jargon scientifique, les étoiles sont des réacteurs thermonucléaires à confinement gravitationnel. Régissant la vie de l'étoile, deux metteurs en scène se livrent une lutte complémentaire : la gravitation et le feu nucléaire.

Le raisonnement simplifié, exprimé plus haut, nous permet de comprendre la vie d'une étoile, par exemple celle de notre Soleil d'aujourd'hui. Voilà 4,6 milliards d'années qu'il brûle son hydrogène et brille ainsi. Il en a encore, selon les calculs théoriques actuels, pour 5,5 milliards d'années à épuiser ce cycle de vie, soit 99 % de sa vie nucléaire, baptisé « séquence principale » par les astrophysiciens. 85 % des étoiles visibles en sont là. Voilà pourquoi notre ciel, depuis qu'*Homo* existe, ne change quasiment jamais. Voilà pourquoi nous avons cru un jour à l'immuabilité. *A contrario*, ce que nous disent aujourd'hui les scientifiques implique que les étoiles n'ont pas toujours brillé ainsi et qu'elles ne vivront pas non plus éternellement de cette manière. C'est là la grande nouveauté des idées actuelles, en rupture avec tout ce que l'homme avait pu penser auparavant. Avant de brûler de ce beau brasier nucléaire, les étoiles ont connu un jour leurs premières étincelles.

D'abord, une évidence, à laquelle on ne songe même plus en regardant la voûte céleste. Cette voûte n'est pas seulement composée d'étoiles, il y a aussi tout ce vide apparent (du moins à l'œil nu) qui les sépare. Manque trompeur, faux vide. Dans l'univers gravitent aussi, étendus sur des milliers d'années-lumière, ce que l'on appelle, faute de mieux, nuages interstellaires. A force de les appeler ainsi, on ne les croirait qu'innocentes gazes flottantes, sans grand intérêt. En réalité, c'est d'eux que naissent les étoiles. Un accouchement qui ne va pas de soi pour le profane. En effet, ces nuages interstellaires ne ressemblent pas à nos habituels nuages terrestres. Ce sont des rassemblements de matière extrêmement diluée. Sur notre globe, l'air contient trente milliards de milliards d'atomes par centimètre cube. Un nuage interstellaire n'en compte pas plus de quelques dizaines, essentiellement de l'hydrogène. Il est froid et ne semble en rien destiné à faire éclore une fournaise cosmique. Pourtant, et c'est ce que l'on a découvert, il s'y produit parfois des perturbations suffisantes pour comprimer

SUPERNOVA

la matière, et transformer le potage délayé en soupe grumeleuse. Ces grumeaux à leur tour jouent le rôle d'attracteurs de plus en plus puissants de la matière environnante. Ils deviennent globules de plus en plus denses, pouvant atteindre plusieurs milliards de

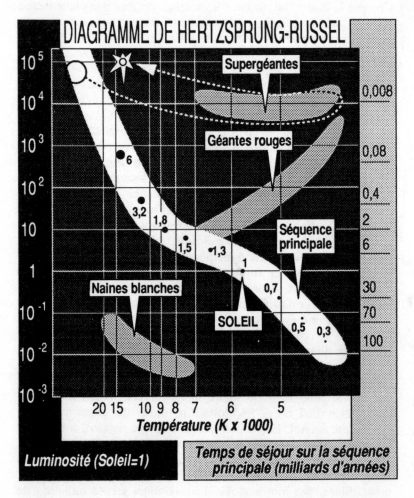

Figure 5. *Pour les astronomes, le diagramme de Hertzsprung-Russell établit une sorte de sociologie des astres, en les classant selon leur température et leur luminosité. On y retrouve donc les géantes rouges, les supergéantes ou les naines blanches. Ici, en pointillé, on peut suivre la curieuse ligne de vie de Sanduleak 69-202, bleue à la naissance, qui a migré vers le rouge pour revenir exploser dans le bleu.*

60

kilomètres et peser plusieurs masses stellaires. C'est alors que la gravitation joue à qui mieux mieux son éternel rôle attractif. Le globule, devenu tellement dense qu'il ne laisse plus passer la lumière, est très froid. Les atomes ne s'y agitent presque pas, il n'y a pas de pression interne. La gravitation règne en maître et le globule commence à se contracter. Cette contraction va croissant, élevant la température, la densité, la pression. Le gaz commence à rayonner de l'énergie. Mais tant qu'il n'en lâche pas assez, la gravitation poursuit son œuvre. Enfin, lorsque la température du cœur a atteint dix millions de degrés, les réactions de fusion s'amorcent. Le « merveilleux » thermostat décrit plus haut est prêt à fonctionner : une étoile est née.

Toutes filles des nuages, les étoiles n'en sont pas pour autant des clones au même visage. On en voit de plus ou moins chaudes, de plus ou moins lumineuses. Surtout, elles ne naissent pas égales en masses. Si notre Soleil fait figure d'étoile moyenne, d'autres sont des monstres obèses, 10, 20, 60 fois la masse du Soleil. Mais elles se font rares. « Sur 10 000 étoiles à naître, explique Michel Cassé, 1 400 seront plus massives que le Soleil, et 30 seulement dépasseront 10 fois cette masse. La proportion tombe à 1/10 000 pour une masse supérieure à 40 masses solaires. » Cette obésité ne leur vaut d'ailleurs rien de bon. Leur vie en est d'autant plus brève. Alors que notre Soleil doit briller ses 10 à 12 milliards d'années, une étoile 10 fois plus massive se voit réduite à 10 millions d'années seulement, et le monstre de 60 masses solaires est un feu de paille : 3 millions d'années seulement, le temps qu'il a fallu à l'homme pour descendre du singe. Aucune morale là-dessous. Simplement les lois de la physique. Dotés à la naissance d'une énorme masse, les monstres du cosmos ont un cœur d'enfer où règnent des pressions et des températures gigantesques. Les réactions nucléaires s'y déploient tambour battant, à un rythme effréné comparé à celui de notre raisonnable Soleil. Généreusement pourvus de combustible, ils le dévorent avec d'autant plus d'entrain que celui-ci pèse de tout son poids sur leur propre cœur.

Pour courte qu'elle soit, cette existence n'en est pas moins passionnante que celles de leurs sœurs. Toute en transformations et en rebondissements. Car c'est là le destin de toutes les étoiles.

Jusqu'à présent, en effet, je n'ai brièvement évoqué que la naissance et la vie « normale », passée à fusionner l'hydrogène. Et même si la très large majorité des astres en est effectivement là, ce serait faire fi d'une belle histoire que de ne pas jeter un coup d'œil aux minorités. Car ce sont elles qui ont permis aux scientifiques, avec l'invention de télescopes de plus en plus puissants, de nous raconter les autres chapitres de l'évolution stellaire, la poursuite démultipliée des transformations. La seule observation de notre Soleil n'aurait peut-être pas suffi pour découvrir que la nature avait une telle imagination créatrice. Or, on sait désormais, après de multiples observations et une réflexion approfondie, que certaines étoiles, 1 % environ des étoiles visibles, nous prédisent ce que sera demain notre beau Soleil jaune. Ces belles dans un drôle d'état portent des noms fort poétiques : Bételgeuse, Aldébaran, Antarès... toutes géantes rouges.

Quelles sont-elles ? Comment ont-elles pu en arriver là ? Comment notre Soleil va-t-il prendre leur chemin ?

Première assurance, le jour vient (dans plus de cinq milliards d'années) où les réserves d'hydrogène du Soleil seront épuisées. Pour la première fois depuis dix ou douze milliards d'années, le thermostat ne peut plus fonctionner. La fusion des noyaux d'hydrogène vient de s'achever au cœur de l'étoile. Seuls flottent les nombreux rescapés de son enveloppe. Les réactions nucléaires sont stoppées. A l'ancien cœur d'hydrogène succède un cœur d'hélium. Mais celui-ci ne peut s'embraser immédiatement. Les noyaux d'hélium, plus fortement chargés que ceux de l'hydrogène, se repoussent aussi plus fortement. Pour que leur fusion s'amorce, il faut des chocs plus violents que ceux qu'ils subissent encore. Il faut une agitation thermique plus grande, une température plus élevée que les 15 millions de degrés de naguère.

Que se passe-t-il ? L'étoile meurt-elle ainsi faute de combattants ? Non. Car la gravitation continue de rôder. L'étoile, dans son nouvel état, commence à se contracter. Sa densité, sa température, sa pression augmentent. L'hydrogène de l'enveloppe se met à brûler dès que la température est suffisante. Et elle commence à se dilater. Pendant ce temps, le cœur d'hélium poursuit sa contraction. Inexorablement, les deux processus se poursuivent pendant des centaines de milliers d'années. L'enveloppe ne cesse de s'étendre. Elle engloutit d'abord Mercure, la première des planètes, qui se vaporise, puis Vénus, notre planète sœur. Nos glaces fondent, puis les gigantesques océans s'évaporent. Notre atmosphère disparaît. Notre Terre est calcinée. Le rayonnement s'enfuit au travers de l'immense enveloppe qui ne cesse de se refroidir. Globalement, pour le reste du cosmos, notre Soleil n'a rien perdu de sa belle luminosité car sa « peau » atteint désormais une taille de géante. Mais, signe irréversible de sa transformation, la belle étoile jaune a désormais viré au rouge. Les couches externes, plus froides qu'auparavant, rayonnent maintenant dans cette longueur d'onde. Notre Soleil est devenu géante rouge.

Après un million d'années, le cœur qui n'a cessé de s'effondrer sur lui-même a fini par atteindre la température fatidique de 100 à 200 millions de degrés. Puis un flash et les noyaux d'hélium commencent à fusionner. Trois par trois, ils se collent pour donner un noyau de carbone. Naissent aussi l'azote et l'oxygène. Dans l'infernale mini-étoile cachée au cœur de la géante, le feu d'hélium fait rage. Sa fusion libérant beaucoup moins d'énergie que celle de l'hydrogène, les réserves sont beaucoup plus rapidement englouties. Après quelques centaines de millions d'années seulement, l'hélium se tarit.

Ce jour-là, le scénario commence. Au cœur de la mini-étoile ne restent que ses cendres, carbone, azote, oxygène, qui ne peuvent fusionner aux températures ambiantes. En périphérie, continuent de flotter les noyaux d'hélium qui n'ont pu fusionner. La gravitation reprend ses droits. La mini-étoile se contracte à nouveau. L'enveloppe d'hélium reprend sa combustion. Les couches d'hydrogène alentour aussi. Tout ce gaz brûlant se dilate et grignote peu à peu, en quelques dizaines de milliers d'années, le combustible disponible. La géante rouge n'aura pas vécu plus de 2 millions d'années. Mais, « dans ce grignotement parcimonieux, explique Jean-Pierre Luminet dans son beau livre, *les Trous noirs,* le débit d'énergie ne peut supporter le poids des couches que par intermittence. L'étoile agonisante, déstabilisée, entre en pulsations ». Plus rien de semblable entre cette étoile agitée de hoquets, qui éjecte ses gaz par bouffées, et notre bon Soleil actuel, si régulier.

Pour les éventuels observateurs, le spectacle ne manque pas de charme. Car le cœur de carbone et d'oxygène, petit soit-il — à peine plus grand que la Terre — produit de merveilleux effets. Chauffé à plus de 100 000 degrés, il rayonne dans l'ultraviolet. Ces photons très énergétiques ne cessent de bombarder les atomes de gaz (hydrogène, oxygène, azote) éjectés au loin. Ils font sauter les électrons de leurs couches atomiques. Quand ceux-ci retombent en place, les gaz deviennent fluorescents, rayonnent dans leur longueur d'onde caractéristique, leur « signature ». Ici, le vert de l'oxygène et de l'azote, là, le rouge de l'hydrogène. Les tristes cendres de l'étoile sont devenues belle nébuleuse. Nébuleuse éphémère. En moins de cent mille ans, elle se sera diluée à des milliards de milliards de kilomètres de l'étoile originelle. Celle-ci, dépouillée désormais de toute enveloppe, est un étrange reste.

Condamné dès la naissance, à cause de la masse « moyenne » de notre étoile, à ne pas dépasser le stade de résidu, le carbone et l'oxygène se refroidissant peu à peu. Vers 10 000 degrés, ce vestige stellaire prend un aspect blanchâtre. Point minuscule dans l'univers, sa luminosité atteint à peine quelques centièmes de celle de notre Soleil actuel. Fin étrange de notre Soleil, voici une naine blanche.

D'ores et déjà, de nombreuses naines blanches ont été observées « pour de vrai », alors que le scénario précédent n'était qu'anticipation de quelques milliards d'années. Bien sûr, seules les plus proches sont visibles dans nos télescopes, étant donné leur faible luminosité. Mais on estime leur nombre à 15 % des étoiles de notre galaxie, autrement dit, il existe environ 45 milliards de naines blanches.

Mais en dehors de ces comptes, le récit de leur découverte mérite un petit arrêt. Au milieu du siècle dernier, l'astronome allemand Friedrich Bessel étudie avec une obsession toute scientifique les mouvements changeants de l'étoile la plus brillante du ciel, Sirius. Curieusement, celle-ci montre une propension à se déplacer selon une énigmatique ligne ondulée. Après une dizaine d'années d'observation et de réflexion, il en déduit, en 1844, qu'un objet proche mais invisible doit exercer son attraction gravitationnelle sur l'étoile. Seulement voilà, ce compagnon ne se contente pas d'être obscur, il doit être de surcroît singulièrement massif pour exercer une telle influence. Selon les calculs, il a quasiment la masse du Soleil.

Toutefois, l'énigme demeure entière. Il faut attendre dix-huit ans avant qu'elle ne se résolve. En 1862, Alvan Graham Clark, respectable fabricant de télescopes, observe à son tour Sirius dans le but de tester un nouvel appareil. Non seulement l'étoile est parfaitement nette, mais une tache lumineuse supplémentaire, toute proche, apparaît. Clark imagine d'abord un défaut de la lentille et vérifie son appareillage. Mais celui-ci semble irréprochable. Clark en conclut que la tache correspond bel et bien à un véritable objet. Mieux, il approfondit la question et s'aperçoit que sa position correspond au fameux compagnon obscur proposé par Bessel. Sirius ne peut plus désormais être considérée comme une seule étoile mais comme un système de deux objets, Sirius A (l'étoile visible à l'œil nu) et Sirius B (à la luminosité 10 000 fois plus faible).

Au début de ce siècle, en 1915, l'astronome américain Walter Adams reprend la recherche de ses prédécesseurs en faisant l'analyse spectrale des objets. Surprise. Sirius B est très chaude, cinq fois plus que notre Soleil. Et pourtant, elle est peu lumineuse. Seule solution, pour concilier ces deux paramètres apparemment contradictoires, l'étoile doit être très petite, pas plus grosse que la Terre. « Solution » qui ne manque pas de poser un nouveau problème, celui de la densité de cette étoile d'un genre nouveau. Comment un astre aussi massif peut-il être contenu dans un volume aussi petit ? Ramener notre Soleil à la taille de la Terre, c'est atteindre une densité plus de 500 000 fois supérieure à celle de notre planète, en moyenne. Jamais solide ou liquide, *a fortiori* gaz « normal », si comprimé soit-il, n'a dépassé les quelques grammes par centimètre cube, selon les observations de l'époque. Quel peut être ce nouvel état de la matière, permettant des densités aussi élevées ?

Une fois encore, la solution vient des avancées théoriques ultérieures de la physique moderne. Cette physique de l'infiniment petit, c'est la théorie quantique promue par une série de scientifiques essentiels pour la physique du xxᵉ siècle comme Niels Bohr, Werner Heisenberg, Erwin Schrödinger, Wolfgang Pauli. Cette physique, dont on essaye maladroitement de traduire le sens par des analogies avec le monde habituel, ne cesse de choquer le « bon sens ». Mais ses principes reflètent si bien les résultats de multiples expériences qu'elle est aujourd'hui adoptée par tous les laboratoires.

Dans le cas si curieux des naines blanches, ce n'est plus en termes de gaz « classique » qu'il faut raisonner, mais de gaz « quantique », ainsi que le suggère, en 1920, le physicien Ralph Fowler. La matière des naines blanches n'est pas ordinaire, c'est de la matière dégénérée (mot malheureux de la langue française) où les particules sont littéralement écrasées les unes contre les autres.

Si l'on veut quelque peu entrevoir ce qu'est cette matière dégénérée, aux propriétés totalement inhabituelles, force est d'écouter les préceptes de la physique nouvelle. Le gaz de l'étoile, rappelons-le, est formé des noyaux (lourds et lents) et d'une multitude d'électrons. Aucune structure atomique ne peut se maintenir à une telle densité, et ce découplage entre les électrons et les noyaux se manifeste de façon particulière. La structure mécanique de l'étoile dépend principalement du gaz formé par les électrons, un gaz qu'il faut justement apprendre à regarder autrement. Autrement, en tout cas, qu'une mer d'objets semblables à de simples boules de billard se promenant dans l'espace. Car ces objets ne sont pas simplement définis par leur position et leur vitesse, les électrons ont aussi un spin. Ce nombre quantique, propriété intrinsèque de la particule symbolisant une sorte de rotation sur elle-même, leur confère des propriétés très particulières. Ici, ce nombre est un demi-entier et les électrons sont catalogués sous le nom de fermions, du nom du physicien italien Fermi.

Ainsi, dans un gaz vu de façon classique, toutes les particules sont distribuées de façon continue dans leur espace de phase (l'espace défini plus haut, possédant six dimensions, trois pour la position, trois pour la vitesse). Tout ce que l'on peut dire, c'est que pour chaque valeur de la position des particules, les vitesses se regroupent autour d'une valeur moyenne, dépendant de la température du gaz. C'est ce que l'on observe dans des conditions « normales » de température, de pression, de densité.

En revanche, si on regarde le gaz de fermions à la manière quantique, il en va tout autrement. A cause du spin évoqué plus haut, l'espace de phase n'est plus ce milieu continu où les particules occupent n'importe quelle place. L'espace de phase est quantifié, il faut le voir comme un empilement de cellules élémentaires. Qui plus est, chaque cellule ne peut être occupée par plus de deux fermions à la fois. Cette obligation est bien connue des physiciens qui la désignent couramment par l'expression de principe d'exclusion de Pauli. Rien de mystérieux là-dedans. Seulement une résistance de cette matière-là (les fermions) à se laisser empiler plus avant. Dans la matière « ordinaire », aux conditions normales de densité, pas de problème, il y a assez de cellules pour que les fermions se répartissent où bon leur semble et les calculs quantiques rejoignent les résultats classiques. Mais, que le gaz soit beaucoup plus comprimé, que sa densité augmente, alors les effets quantiques se font sentir. L'espace de phase se restreignant, les particules ne peuvent plus occuper autant de positions que précédemment. Confinées, elles se mettent à remplir, deux par deux, chacune des cellules quantiques. Quand celles-ci sont toutes remplies, les particules peuvent alors connaître toutes les vitesses possibles, de la plus lente à la plus rapide, et se trouver dans toutes les positions possibles. Quelle que soit la température, la distribution des vitesses ne change plus, elle en est indépendante. Ce qui n'est pas du tout le comportement d'un gaz « classique » ; dans ce dernier, les molécules connaissent une agitation et donc une vitesse de plus en plus grande, proportionnelle à la température. De même pour la pression, c'est la plus forte que puisse donner cette concentration de particules. Dans une étoile, cette pression du gaz dégénéré fera tout pour s'opposer à la contraction supplémentaire qu'essaierait d'imposer la gravitation. Elle montre la résistance des particules à accepter une compression supérieure, et ce, indépendamment de la température. Ce résultat, encore une fois, est en flagrante opposition avec la vision « classique » des gaz, où la pression augmente avec la température. C'est pourtant cette vision étrange qui explique le mystère des naines blanches. La plus grande partie de leur gaz est ainsi dégénérée, exerçant une pression considérable qui compense l'attraction gravitationnelle. Les particules cohabitent donc dans un écrasement insoupçonné, quelle que soit la température de l'étoile, qui, très lentement, se refroidit et s'éteint. De fait, les scientifiques estiment que la température s'homogénéise rapidement à l'intérieur d'une naine blanche où les électrons du gaz dégénéré sont d'excellents conducteurs de la chaleur. A la surface de l'étoile pourtant, subsiste une peau moins comprimée, donc de matière non dégénérée, qui joue un peu le rôle d'isolant. Résultat, la naine blanche peut vivre plusieurs milliards d'années en perdant très lentement sa chaleur. Elle la perd pourtant. Les protons et neutrons des noyaux voient leur agitation thermique inexorablement se réduire. Petit à petit, les forces de répulsion électrostatique prennent alors le pas sur tout autre phénomène. Les noyaux se trouvent ainsi forcés à s'ordonner, comme dans un réseau cristallin. La naine blanche devient en quelque sorte un énorme cristal à l'échelle cosmique dans lequel flottent les électrons. Plusieurs milliards d'années plus tard, toujours plus froide, elle ne rayonne plus et sa luminosité baisse inexorablement. La naine blanche des débuts s'assombrit toujours plus. Maintenant, elle devient naine noire. Il n'est pas certain que de tels résidus existent actuellement dans la nature. Selon la théorie, ce noircissement est si lent qu'aucune naine noire n'a peut-être eu le temps d'apparaître depuis le début de l'univers et de ses premières étoiles, il y a quinze milliards d'années. Une question subsiste cependant. Toutes les étoiles, petites et grosses, sont-elles donc condamnées à cette mort lente ? Doivent-elles toutes inévitablement finir en naines blanches au gaz dégénéré ? Les particules résisteraient-elles à toutes les compressions ?

L'astrophysicien indien Subrahmanyan Chandrasekhar eut le mérite, dans les années trente, de poser puis de résoudre cette question. Il s'aperçut d'abord que les excellents travaux de Fowler étaient incomplets. Il touchait là, on l'a compris depuis, une des pierres angulaires de l'astrophysique moderne, à tel point qu'il reçut un prix Nobel, tardif, en 1983. Quand la matière dépasse la densité d'un million de tonnes par centimètre cube, des effets nouveaux se font sentir, expliqua Chandrasekhar. Dans de telles conditions, les particules vont de plus en plus vite. Elles vont si vite qu'elles approchent la vitesse de la lumière. A ce stade, la mécanique quantique ne suffit plus à expliquer tous les phénomènes. Il faut faire appel à Einstein et à sa théorie de la relativité pour expliquer le comportement de ces particules « relativistes ». Ce que fit Chandrasekhar. Sans entrer dans des détails difficiles, disons simplement que le gaz relativiste étudié par le physicien indien montre une pression plus faible qu'un gaz de particules lentes. Selon lui, au-delà d'une certaine limite, le gaz dégénéré relativiste ne peut plus supporter la situation. Il doit s'effondrer sur lui-même.

La question était de savoir quelle était exactement cette limite. Chandrasekhar se dit que les pressions « raisonnables » (quoique gigantesques) ne se rencontraient que dans des étoiles ne dépassant pas une masse limite après arrêt des réactions nucléaires. Il leur trouva une valeur très précise, 1,4 fois la masse du Soleil, connue aujourd'hui sous le nom de masse de Chandrasekhar.

En clair, en deçà de cette limite, les étoiles finissent en naines blanches, au-delà, elles continuent de se contracter. Avec le recul du temps, cette élégante réponse où s'entrelacent structure stellaire, mécanique quantique et relativité, semble d'une certaine façon simple. Mais elle heurta de plein fouet les convictions d'éminents scientifiques de l'époque, en particulier Eddington, qui s'opposa farouchement à Chandrasekhar.

Les observations ont depuis largement confirmé le bien-fondé de cette théorie : les naines blanches vues jusqu'à présent ont entre 0,1 et 1,4 fois la masse du Soleil (la masse de Chandrasekhar). Ce qui ne signifie d'ailleurs pas que les étoiles originelles avaient cette masse finale. En réalité, on s'est aperçu que des étoiles possédant jusqu'à 8 masses solaires pouvaient finir en naines blanches. C'est qu'au cours de leur vie — dès le premier âge, celui de la combustion de l'hydrogène, pour les plus massives, au stade de la géante rouge pour les moins massives — elles ont tendance à perdre de grandes quantités de matière, qui s'envolent dans le vent stellaire, sous la pression des photons.

Pour les étoiles très massives (10, 20, 50 masses solaires), et qui sont parvenues à conserver un cœur très massif formé par la fusion rapide de l'hydrogène puis de l'hélium, pour celles-ci le récit se poursuit différemment. Les théoriciens ont ainsi concentré leurs efforts de compréhension sur le modèle d'une étoile de 25 masses solaires, étoile massive « type ». A son origine, déjà, elle ne peut être considérée comme une vraie sœur du Soleil. Pesant de tout son poids sur son propre cœur, il y règne une température deux fois plus forte et elle brûle ses réserves d'hydrogène à un rythme effréné : huit millions d'années seulement de « séquence principale ». Pour une dimension raisonnable (un rayon 5 fois plus grand seulement que le Soleil), elle rayonne une énergie considérable et sa température de surface est beaucoup plus chaude (4 fois plus que celle du Soleil). C'est une supergéante bleue. Mais vite, la voilà dotée d'un cœur d'hélium, encore plus concentré que celui laissé par le Soleil, au centre d'une immense enveloppe se refroidissant jusqu'à atteindre la couleur rouge. La supergéante, de bleue, est devenue rouge.

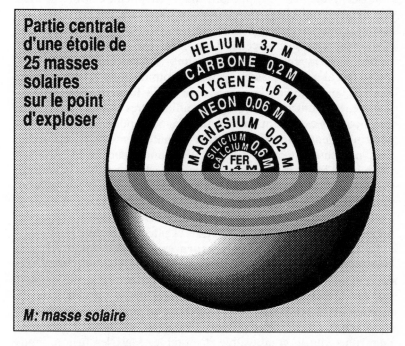

Figure 6. *Coupe d'une étoile de 25 masses solaires, en passe d'exploser (d'après le physicien américain S. Woosley). La fusion de l'hydrogène donne naissance à de l'hélium, qui fusionne ensuite pour donner d'autres éléments et ainsi de suite jusqu'au fer. Juste avant l'explosion, l'étoile présente ce que les spécialistes ont nommé une structure en « pelures d'oignon ».*

Après seulement cinq cent mille ans, la fusion de l'hélium laisse en son sein un cœur résiduel de carbone et d'oxygène, lui aussi beaucoup plus lourd que celui de notre Soleil. La gravitation exerce plus que jamais son rôle concentrateur. Le cœur continue donc de se contracter. En quelques dizaines d'années seulement, il atteint la température de 800 millions de degrés. Une température suffisante pour provoquer des collisions si puissantes qu'elles l'emportent sur la répulsion électrostatique des noyaux chargés positivement. La fusion reprend de plus belle, donnant cette fois naissance à du néon et du sodium. Comme précédemment, l'étoile sert ses deux maîtres habituels, gravitation et feu nucléaire.

Mais le tableau — déjà complexe — s'enrichit d'un nouveau phénomène, prédit de façon toute théorique par Wolfgang Pauli en 1932. Dans les réactions de fusion à de telles températures, ce ne sont plus seulement des photons qui s'échappent, emportant avec eux l'énergie relâchée. Une partie est emportée par de nouveaux acteurs, confinés jusque-là dans un rôle mineur, qui se propulsent désormais sur l'avant-scène. Leur nom est neutrino. Particules neutres électriquement, on l'aura compris. Mais qui plus est, sans masse (ou alors une masse très petite, comme nous le verrons plus loin) et voyageant aussi à la vitesse de la lumière. Anges de la matière, ils n'ont pour elle qu'une affinité très limitée. Alors que les photons s'exténuent en de multiples absorptions-émissions, les neutrinos s'envolent, dédaignant le tumulte alentour. Ils ne voient rien, ne sentent rien ou presque. Ils sont capables de traverser notre belle Terre en se jouant de ses obstacles, invisibles pour eux. Comme des ectoplasmes, ils semblent insaisissables et par trillions de trillions balayent l'univers. Ils nous traversent aussi, à chaque instant, sans que nous y prenions garde. On ne peut s'en cacher, même en descendant dans la grotte la plus profonde.

Ce comportement a des conséquences immédiates pour l'étoile. Habituée qu'elle était aux bons vieux photons, elle ne perdait son énergie qu'à un taux raisonnable. Avec les neutrinos, elle connaît des fuites redoutables. Capables de franchir en un clin d'œil la distance séparant le cœur de la surface de l'étoile, ils lui pompent son énergie à un rythme effréné. Une seule solution : brûler toujours plus vite le combustible disponible. Mais les fusions nouvelles, en vertu des lois de la matière, se font toujours moins énergétiques (la fusion originelle de l'hydrogène dégage plus d'énergie que celle de l'hélium, qui est plus énergétique que celle du carbone, et ainsi de suite en allant vers les noyaux plus lourds).

Moins énergétique et sapée par les neutrinos, l'étoile s'épuise de plus en plus vite. Dans les étoiles massives, la fusion du carbone ne prend que quelques centaines d'années, celle du néon une année seulement, à une température de 1,2 milliard de degrés. Une fois celui-ci épuisé, vient le tour de la combustion de l'oxygène, pendant quelques mois seulement, à plus de 2 milliards de degrés. Celle-ci donne du silicium qui entre à son tour en fusion pour une journée seulement à 3,5 milliards de degrés. A une telle température, des noyaux eux-mêmes, sous les coups de boutoir des photons devenus ultra-énergétiques, commencent à se scinder et à provoquer de nouvelles fusions, précipitant la création d'éléments de plus en plus lourds jusqu'au fer.

C'est alors qu'un nouvel épisode, crucial celui-là, survient. Le fer, élément le plus stable de la nature, stoppe l'accélération infernale. Il refuse, même dans une telle fournaise, d'aller plus loin. Pour que le feu nucléaire se poursuive comme précédemment, il faudrait un apport d'énergie considérable. Or, contrairement à celles des éléments plus légers, les réactions nucléaires de cet élément stable, composé de 56 protons et neutrons, sont des dévoreuses d'énergie et non plus de généreuses donatrices. Pour réaliser la fusion du fer, le cœur ne sait où piocher cette énergie. Il n'a plus qu'un seul maître, la gravitation. Il s'effondre sur lui-même et cette fois-ci, l'étoile implose.

La supernova pointe enfin son nez.

Le cerveau dans les étoiles, je poursuis ma route à La Silla, songeant à cet instant fatidique où l'étoile va brusquement basculer. Au départ, c'était une grosse étoile très massive. Elle s'est brûlé le cœur, de plus en plus vite, créant une cohorte d'éléments de plus en plus lourds. Et maintenant, elle ressemble à un gigantesque oignon aux multiples pelures. Voici, en surface, l'hydrogène, puis l'hélium. Puis, en s'enfonçant vers l'intérieur, le carbone et l'oxygène ; le silicium et le magnésium. Enfin, au centre, le cœur de fer.

Je lève la tête. Dans cette immensité noire, en cet instant, des milliards d'oignons cosmiques au cœur de fer plongent vers un flamboyant éclatement.

Quelle mythologie les Anciens auraient-ils su forger avec une telle connaissance ? J'imagine des milliards de Vulcain retournant leur marteau contre leur propre tête. Des Prométhée prêts à saisir un pinceau d'énergie. Des ménagères célestes pleurant par avance la mort des oignons si méticuleusement élaborés. Des ogres prêts à les dévorer.

SUPERNOVA

Je songe à ceux qui, un jour, ont cru la Terre immobile ; aux Indiens de Guyane qui voient dans la constellation des Pléiades sept fils gloutons que leur mère, refusant de les nourrir sans cesse, a fini par envoyer au ciel ; aux Finnois de la Volga qui trouvent dans la Voie Lactée le chemin des oies sauvages. Aux pierres du ciel devenues pierres de terre.

Ces pierres ne sont pas si tristes.
L'or vit dedans et elles ont
dedans des graines de planètes,
elles ont des cloches dans leur fond,
des gants de fer, le temps en elles
se fait l'époux des améthystes :
les rires sont rubis en elles,
elles se sont nourries d'éclairs.

A qui chemine,
Pablo NERUDA

Chapitre 7

Guérilla scientifique

Voilà trois jours et trois nuits que je vis sur la montagne de La Silla. Tous les soirs, le soleil rougeoie à l'ouest, au-dessus du Pacifique. Quelques minutes plus tard, le ciel vire au violet et au gris sombre. La nuit enveloppe peu à peu rochers et télescopes et se faufile sur la route sinueuse. Instinctivement, je me tourne à chaque crépuscule vers le Grand Nuage de Magellan. Je sais désormais reconnaître la Tarentule, forme noirâtre où l'on croit distinguer de grosses pattes d'araignée. Juste à côté, 1987A est toujours au rendez-vous. Parfois, des astronomes m'accompagnent. Ils prennent un peu de temps pour regarder les étoiles. Regrettent à mi-voix de n'avoir pas été les premiers à découvrir la supernova. Cela paraît si simple maintenant. Il suffit de lever les yeux pour la voir, comme une évidence.

Mes sentiments sont parfois étranges. Mélange d'enthousiasme et de tristesse. D'exaltation et de révolte. L'enthousiasme est facile. Ici, tout ou presque semble suspendu à cette lumière céleste imprévue. Chaque nouvelle nuit apporte son lot de données scientifiques inédites et de sourires satisfaits. Chacun vibre de vivre un tel moment. Je regarde la lumière et je me convaincs : oui, ce moment est historique. Nous sommes quelques poignées à regarder les cieux et à y lire en direct quelques chapitres de l'histoire universelle. Je suis sur la montagne et je regarde l'exceptionnel.

Pourtant, une autre voix me rappelle le monde d'en bas. Un monde si peu préoccupé par cette lumière, accaparé par tant d'autres pensées. Ici, la joie de la découverte ; là-bas, un bien maigre rayonnement. Voilà aussi mon amertume. Il y a quelque chose de douloureux dans la distance entre la connaissance scientifique et la connaissance en général. Comme une méchante mutilation de l'esprit. Alors, mes neurones se mettent en pelote. Je rêve d'être entourée d'enfants auxquels raconter l'histoire présente. Celle d'une mort rayonnante, d'une explosion cosmique. Une histoire de notre temps, avec les mots d'aujourd'hui. La plupart des enfants ont encore les yeux grands ouverts. Devant eux, le monde devient conte fabuleux, plein de chaudrons en ébullition, de monstres dévorants, de douces planètes fées. Photons ou neutrinos sont elfes magiques. Atomes et molécules, petites bêtes invisibles à dénicher. Qu'on leur dise la saga magnifique de cet invisible, et les gosses sont bouche bée. Qu'on leur explique, de surcroît, que cette connaissance donne « in fine » un réel pouvoir sur la nature, et ils sont conquis.

Pourquoi, en revanche, cette indifférence blasée qu'ont la plupart des adultes, cette curiosité massacrée ? Quelle tristesse dans cette peur des mots, des nombres. Dans l'oubli, voire le rejet des choses de la nature revisitées par la science. Comme un rejet de l'enfance, des interrogations instinctives devant les ronds dans l'eau, l'arc-en-ciel après l'orage, ou le bleu du ciel. Comment faire passer la joie de la connaissance, le « frisson de la découverte » cher à l'un de nos plus grands astrophysiciens français, Evry Schatzman — sans passer pour un cul bénit scientifique ? Pire, un scientiste... L'évocation de ce frisson a valu un jour à notre astrophysicien un énorme éclat de rire venu d'un public pourtant composé cette fois-là d'autres scientifiques. Quel est ce gigantesque malentendu entre les porteurs de connaissances et les autres, voire au sein même de la communauté des chercheurs ? Le fossé ne cesserait-il de se creuser depuis Aristote entre ceux qui savent et ceux qui ne savent pas ? Entre ceux qui cherchent et ceux qui ne veulent surtout pas savoir...

Oui, le fossé est profond. Schatzman y a consacré tout un livre, *la Science menacée*. Il y rappelle la question faite aux scientifiques, celle qui revient toujours : « A quoi ça sert ? » Schatzman juge cette question « absurde (...) car elle témoigne de l'ignorance, de l'indifférence et d'un infini contentement de soi, du genre " moi je suis utile, mais vous ? " ».

Pour nombre de têtes bien remplies d'aujourd'hui, l'étoile regardée scientifiquement ne peut donc être qu'un casse-tête. Un pensum parfaitement inutile, pire, très fatigant. Derrière le savoir se profilent d'horribles équations, douloureux rappel des classes du secondaire. La fascination, le plaisir de comprendre ont plongé depuis longtemps. Ne surnage que la dictature d'un savoir impérieux. Sur la montagne, la supernova donne pourtant le goût du gai savoir. Journaliste, je n'ai qu'à bien tenir mes notes. Voilà pour ma gouverne, révolte ou pas. Car, au moment de l'écriture, il me faudra déployer des trésors de séduction pour capter quelques lecteurs, dits de « grande presse », tout en satisfaisant les gardiens pointilleux du savoir scientifique. Curieux exercice de contorsion, qu'on appelle depuis longtemps vulgarisation. Tout a été dit et redit sur ce vilain mot, où transparaît le désagréable « vulgaire ». Mais on n'a pas fait mieux, puisqu'on l'emploie toujours. Son idéal, au panthéon des idées sérieuses : sensibiliser à un savoir nouveau, ou mieux, en transmettre des lambeaux. Donc, en définitive, permettre au citoyen d'apprendre et de comprendre, voire, dans certains cas, de se « faire une opinion ». Cela est vrai pour tout ce qui concerne les développements technologiques, par exemple le nucléaire, ou les biotechnologies. Pour la science fondamentale, on donne dans un autre registre : celui du partage généreux de connaissances absconses avec le plus grand nombre. Si possible, en saupoudrant le tout de plaisir. Il y a du missionnaire là-dedans. Une volonté de rameuter les ouailles perdues de l'univers scientifique. Du médecin aussi. Qui panserait les plaies d'éclopés du savoir.

J'en ai pris mon parti, je battrai le ralliement. Au nom d'antiques idées platoniciennes, ces vieilles lunes chéries, Beauté, Vérité... En grattant bien la couche du désintérêt hostile, nul doute qu'une ancestrale curiosité ne soit titillée.

Selon l'heure solaire, j'oscille donc entre plaisir spontané et doute cruel. Rameutons donc les vieux préceptes sur l'art et la manière de faire partager le premier sans ignorer le second. Il va falloir jouer sur l'événement, l'inédit, l'incroyable, le nouveau, l'incompréhensible enfin mis à la portée de tous (ou presque). Prière d'user et abuser d'analogies. Elles déforment un peu la Vérité, mais elles ont le mérite d'être écrites en français courant, contrairement aux équations. Pour épicer la sauce, glisser un soupçon d'exotisme, d'érotisme de bon aloi (attention, le dérapage guette !), de références bien venues. Au diable les préjugés, la cause n'est pas mauvaise.

Dans ma mémoire, des images défilent. Ce premier cours d'astrophysique où les électrons jonglaient avec les photons, dans un ballet nommé rayonnement synchrotron. Cette première visite au CERN (laboratoire européen de physique des particules) où les gigantesques machines aux multiples détecteurs traquent l'infiniment petit. Cette éclipse totale du Soleil au début des années soixante pour laquelle mon père m'avait donné un verre fumé au noir de bougie. De toutes ces impressions, j'ai gardé le goût pour les lois de la nature, les instruments scientifiques et les grands espaces à observer. Tout bien réfléchi, la connaissance me fait un peu peur, à moi aussi. Elle me donne le vertige. Une sournoise angoisse, comme devant les dessins de Max Escher. Ni haut ni bas, bande de Moebius où rampent des fourmis pour l'éternité, main qui se dessine elle-même... Car l'étude est infinie, elle requiert une incommensurable patience. La compréhension de l'univers avance à petits pas, s'échelonne à travers les siècles. Chaque pas traverse l'invisible frontière du connu vers l'inconnu. Peu à peu, les lois de la nature se dégagent de cette longue marche, avec parfois des pauses, puis des accélérations. Avec ses seuls neurones — et aussi ses mains, prolongement des premiers — l'homme est parti à la conquête de territoires fabuleux, ceux du savoir. Il n'a cessé de forger son propre pouvoir créateur, d'élaborer pour lui-même les concepts adéquats, sortes de machettes intellectuelles pour une forêt d'inconnues. En marchant, il a créé le chemin. Il y a souvent mis le meilleur de lui-même, le plus fort de ses convictions, bafouant les ordres établis, comme Galilée ou Giordano Bruno qui, lui, en est mort sur le bûcher. Il est parvenu à faire battre en retraite les croyances infondées. La science est subversive, dangereuse pour les dogmes.

Si quelques astronomes sont ce soir sur cette montagne, c'est que la connaissance est aujourd'hui tolérée par certaines sociétés modernes. Là où les religions ont perdu de leur force, où les idéologies n'imposent pas leur diktat, les scientifiques peuvent poursuivre leur travail avec sérieux. Ils ont commencé à déchiffrer certains codes, mais la soif de connaître est insatiable. Elle s'étanche à chaque nouvelle avancée, pour mieux renaître instantanément. D'oasis en oasis, le chemin est aride pour trouver les lois de la nature.

Inlassablement, les chercheurs doivent poursuivre leurs observations, élaborer des modèles, développer de nouveaux instruments, toujours plus précis, toujours plus performants. Ici, au pied des astres, il faut les meilleurs semi-conducteurs, les meilleures optiques, les meilleurs systèmes de refroidissement, les meilleurs ordinateurs. Seuls les ingénieurs et techniciens collaborant avec les chercheurs savent les trésors de patience et d'ingéniosité à développer sans cesse. Un effort permanent, obsessionnel, souvent difficile à faire comprendre.

Il faut du temps. Beaucoup de temps. La nature n'est pas une coquette se laissant dévoiler au petit bonheur. Il faut longuement l'apprivoiser pour qu'elle livre une clé. Ses messages sont multiples, complexes. Le scientifique doit recourir aujourd'hui à l'ordinateur pour reconnaître ses traits dans un visage déformé. Pour démêler les signaux signifiants du bruit de fond perturbateur. Mais il ne s'en remet pas pour autant à lui pour la réelle compréhension des phénomènes. Les ordinateurs actuels, il faut que le profane en soit convaincu, ne restent que des instruments au service du cerveau. Si rapides que soient ses calculs, et si belles les courbes qu'il fait dessiner automatiquement, l'ordinateur ne peut faire jaillir la connaissance. Elle a besoin d'un cerveau humain. A lui seul, l'ordinateur ne peut faire l'histoire. Il peut simplement l'accélérer. Les plaisanteries à l'américaine ne s'y trompent pas. Les informaticiens d'outre-Atlantique ont depuis longtemps contré avec humour les scénarios catastrophe de la science-fiction où l'ordinateur (robot) se sacre lui-même roi. *Garbage in, garbage out :* si l'on fait avaler de la merde à un ordinateur, il n'en ressortira que de la merde. Les choses se sont un peu raffinées avec l'intelligence artificielle. *Garbage in, fairy tales out :* si l'on met de la merde à l'entrée, il en ressort des contes de fées. Les jeux de mots ne sont pas bien méchants. Ils ont le mérite de désacraliser l'ambiance au royaume des puces.

Bien pires, en revanche, sont les jeux de vilains qui l'attaquent sciemment. J'espère pour les astronomes et leurs modèles d'étoiles qu'un petit malin ne s'est pas déjà introduit dans les systèmes, y glissant un virus nauséabond, destructeur de données. Dans le monde de la recherche, on s'amuse encore, en ce début de 1987, de ces tours pendables, typiques du milieu informatique, où l'appel d'un programme conduit à un écran mutin vous déclarant par exemple : « Le concombre masqué est déjà passé, il n'y a plus rien à voir. » Déstabilisant. Le programme est en effet inaccessible, plongé dans les profondeurs d'un disque dur, masqué par un code imprévu, ou, pire, balayé définitivement du royaume magnétique. La maladie est pour l'instant bénigne, on en rit plus qu'on en pleure. On n'imagine pas une réelle épidémie, une mort des programmes à grande échelle, comme avalés par un ténia démultiplié dans les entrailles informatiques. Pourtant, rien n'empêche la maladie de prendre un tour grimaçant, sur les grands réseaux planétaires. Il suffit d'astuce, d'un rien d'inconscience ou d'une réelle volonté de nuire. Sur la montagne, les chercheurs semblent n'avoir que peu d'inquiétudes. Leurs objectifs théoriques semblent bien trop éloignés des applications « d'en bas ».

Après trois jours et trois nuits, l'« en bas » justement aurait fini par disparaître pour moi, n'étaient les épaisses liasses tombant en rafale sur le télex d'Oscarito. Préposé aux messages, il recueille les lettres scientifiques et personnelles, jongle avec les téléphones, joue l'interface entre la montagne et l'ailleurs. Quand j'appelle le journal à Paris, pour signaler que le reportage s'effectue normalement, le décalage me saute à la figure. En soixante-douze heures seulement, mon temps à moi semble s'être étiré sur les ailes du message stellaire. 170 000 ans, c'est le temps qu'il lui a fallu pour nous parvenir. Sur la montagne, on se met à penser en milliers, en milliards d'années. Quand la première étincelle a jailli à la source, l'homme cassait des cailloux et chassait le renne. *Sapiens,* peut-être *sapiens sapiens.* Incapable à l'époque de déchiffrer l'étincelle, s'il lui avait été donné de la voir instantanément. Heureusement, la lumière a le bon goût de ne se déplacer qu'à 300 000 kilomètres à la seconde. Les 170 000 ans de son voyage vers la planète Terre ont donné quelque répit à l'évolution des cerveaux, peut-être seuls dans l'univers à recueillir scientifiquement le message, dans des récepteurs prévus à cet effet.

Je parle au téléphone, ma voix s'envole vers un satellite géostationnaire à 36 000 kilomètres d'altitude, redescend vers Paris. Mon correspondant répond. Sa voix prend le même chemin en sens inverse. Un écho résonne sur la ligne, les blancs du transfert en orbite ralentissent les échanges. Même dans cette banale conversation sont parvenus à se glisser un peu de temps et d'espace astronomiques.

Au même moment, La Silla s'est paradoxalement rapprochée de Paris. Ce sommet chilien perdu, aussi loin soit-il de l'Europe, ne m'apparaît plus que comme un petit bout de planète, en orbite dans un système solaire, fixé sur un bras de galaxie. Galaxie plongée au cœur de milliards d'autres. Vue depuis la supernova, notre planète n'est qu'un minuscule point bleu. Un microcosme reconnaissable par la curieuse densité d'ondes organisées sillonnant son atmosphère. Un signe de la présence humaine.

Lodewijk Woltjer, le directeur de l'ESO, m'a reçue aujourd'hui dans son bureau. Il avait l'air heureux de ceux qui maîtrisent une situation. En l'occurrence, il a l'assurance d'organiser du bon travail sur l'événement cosmique. Toutes les nuits, ses troupes font preuve d'une remarquable efficacité. Sous peu, les premiers articles scientifiques consacrés à la supernova vont paraître dans une revue spécialisée européenne. La Silla, selon lui, ne doit pas craindre la compétition mondiale. Ses chercheurs sont parfaitement à la hauteur. Déjà, se dessine l'hypothèse d'un grand congrès à Munich, à l'été 1987, pour réaliser une première synthèse des résultats.

Je ne doute pas de la puissance de son organisation. Pourtant, je me suis étonnée à haute voix du peu de « publicité » donnée jusqu'à présent au grand observatoire austral. La réponse est tombée, fort logique. Ici, nous sommes au Chili. Et le Chili n'a pas bonne réputation. L'observatoire n'a pas tenu, pendant de longues années, à trop faire connaître les allées et venues de ses chercheurs dans le pays sous dictature. L'ESO craignait les représailles, notamment des pays d'Europe du Nord, et redoutait les manifestations à la porte des laboratoires, accusant les scientifiques de collaboration éhontée avec un gouvernement aux mains sales. De fait, certains scientifiques ont refusé de venir poursuivre leurs travaux ici, après l'assassinat d'Allende. Mais que devient un chercheur privé d'observations ? Le dilemme éthique fut grave pour certains.

L'organisation proprement dite, l'ESO, a préféré le silence à la justification permanente. Les équations terrestres incluant qualité de l'atmosphère et qualité politique des lieux sont autrement plus difficiles à résoudre que bien des problèmes scientifiques. L'ESO ne le sait que trop, l'observatoire a failli naître en Afrique du Sud. Comment débusquer un bout austral de notre planète répondant à tous les critères acceptables ? Ici, les typhons de la météo, là les ouragans humains. Le Sud est entaché d'une malédiction chronique, régimes corrompus, guerres larvées, tortures répétées. Seule l'Australie semble un désirable havre démocratique. Mais ses scientifiques s'empressent de réserver pour eux-mêmes les bons lieux d'observation. Normal.

La discussion de cet après-midi a trouvé un prolongement imprévu ce soir, quand j'ai visité une coupole en compagnie de Mohammed. Mathématicien iranien, il a trouvé refuge en France. Au tout début de la révolution, il avait cru à Khomeiny, comme bon nombre d'intellectuels. Il y avait surtout vu la fin du régime exécré du chah. Il comptait mettre ses forces et son cerveau au service d'un renouveau. Et puis, au retour d'un séjour à Paris, il a constaté que de nombreux amis de l'université avaient disparu. La rumeur a pris corps. Ils avaient été appréhendés, enfermés, peut-être torturés puis éliminés. Ses espoirs ont fondu en cauchemar atroce. Une seule pensée s'est emparée de lui, fuir. Il y est parvenu, juste à temps, ainsi que son épouse. Il a trouvé l'asile politique en France. A cette tête bien faite, le CNRS (Centre national de la recherche scientifique) a su faire une place. Il a retrouvé du travail.

Aujourd'hui, Mohammed Heydari-Malayeri oscille entre la montagne et ses coupoles et Santiago où réside son épouse. Leurs familles sont restées en Iran, les contacts sont extrêmement difficiles, la douleur est immense. Et pourtant, il est heureux de poursuivre sa quête intellectuelle. Il n'a pas abandonné ses livres et il plonge dans les théories, abandonnant un peu son passé militant. Sans rien oublier, sans rien renier. Avec l'espoir qu'un peu de raison mettra un jour de l'ordre dans la tornade ayatollesque. Il vit temporairement au Chili, bizarrerie du destin.

Woltjer, dans son sympathique souci de m'aider, m'a promis le départ que je souhaitais de La Silla. Non pas simplement pour le Pacifique et ses plages crève-cœur (les courants froids rendent la baignade impossible), mais pour la montagne d'à côté, chez les Américains de Las Campanas. Cette attention me touche. Ici, les voitures ne sont pas accordées au petit bonheur. Elles répondent à un calendrier précis, justifiant leur voyage. Mon désir de reportage exhaustif — chez les Européens, mais aussi chez les Américains — a touché Woltjer, c'est un excellent signe. L'indice de rapports sains entre milieux scientifique et médiatique. Ce qui n'est pas toujours le cas. Tout particulièrement aux États-Unis, sempiternellement cités en exemple aux journalistes français. Les reporters scientifiques américains font admirablement leur travail. La preuve, je sais déjà que deux confrères, l'un de *Time* magazine, l'autre du *New York Times,* mènent leur enquête sur les montagnes voisines. Seulement voilà, de façon quasi systématique, ils oublient la science des autres, des non-Américains. Avec un retard difficilement compréhensible, les journalistes américains ont ainsi appris que l'Europe était devenue une puissance spatiale. Nombre d'entre eux ignorent encore des phénomènes aussi surprenants que le développement de la télématique. Quand un satellite est lancé, ils dédaignent souvent les expériences embarquées proposées par les Européens. Dans un pays aux dimensions d'un continent, les journalistes semblent souvent oublier que la science est mondiale. J'en aurai la preuve a *posteriori,* lorsque le magazine *Time* fera sa couverture sur la supernova. Pas un seul scientifique européen n'est cité, sauf Carlo Rubbia, simplement étiqueté prix Nobel de physique. Le lecteur non spécialiste ne saura jamais que l'ESO existe, qu'une très grande partie des données recueillies sur la supernova dans l'hémisphère Sud est le fruit du travail d'Européens. La complicité scientifiques-journalistes est redoutable. Plus les premiers parlent aux seconds, meilleure chance ils auront de faire connaître leur laboratoire et de se voir accorder des crédits.

Les informations, largement divulguées à grand renfort de conférences de presse, se doivent d'avoir le même impact qu'un clip publicitaire. Il y va de la survie d'un système, particulièrement impitoyable, où de nombreuses recherches, pour survivre, doivent savoir mener leur autopromotion.

En Europe, nous n'en sommes pas encore là. L'observatoire de La Silla, on l'a vu, a poursuivi son travail pendant de nombreuses années sans trop faire parler de lui. Les décisions de financement se règlent dans des commissions *ad hoc,* les politiques s'appuyant sur les rapports desdites commissions. En France, c'est en circuit assez fermé que se prennent également les décisions budgétaires. Parler de ses recherches trop tôt, en conférence de presse, avant qu'un article scientifique ne soit dûment publié dans une revue spécialisée, est très mal vu. Fonctionnaires, les chercheurs ont une sorte de devoir de réserve.

De telles différences donnent parfois aux événements une tournure cocasse. Tel chercheur européen s'acharnera à tenir une conférence aux États-Unis de façon que son message, amplifié par les médias américains, finisse par être repris ailleurs, notamment en Europe. Tel article américain saura occulter dans les médias, même européens, une recherche tout aussi pointue menée en Europe. La primauté de la découverte du virus du Sida (Gallo contre Montagnier), aux débuts médiatiques de la maladie, fut un épisode particulièrement éloquent de ce genre d'embrouillamini. Alors que la bagarre était largement évoquée en France (ce qui se comprend, vu l'importance de notre renommé Institut Pasteur), bon nombre de journalistes américains n'en avaient même pas entendu parler. « Montagnier... Who's he ? » Lodewijk est bon prince, pensé-je donc, en ce troisième jour. Avec un fair-play tout hollandais, il me mène droit à la concurrence. Et quelle concurrence ! Celle du découvreur de 1987A.

Comme sur un toboggan de foire, je me suis vue descendre d'un mont pour remonter sur l'autre. Bye, l'Europe, hello, Carnegie. A l'arrivée, il était l'heure du déjeuner. Oscar Duhalde, le premier à avoir vu 1987A sans en avoir rien dit, m'a conduite devant une assiette. La veille, le journaliste du *New York Times* était passé par là, Oscar avait le sourire de ceux qui sentent la reconnaissance d'efforts méconnus poindre son nez. Shelton nous a rejoints peu après. Renfrogné. Les yeux fatigués, le visage mangé par de grandes lunettes, le regard piquant vers l'escalope aux haricots.

Mauvais début. Puis, nous avons pris l'air des cols, marché vers les coupoles, admiré la cabane du dix pouces, fixé quelques clichés sur pellicule. Shelton a respiré. Il allait redescendre ce jour même à La Serena, prendre un peu de repos. Trop de tension accumulée depuis une dizaine de jours. Nous avons grimpé dans le 4 × 4 rouge et pris la descente vers l'océan. Un après-midi de route épique, où le trop-plein de travail s'est débondé en logorrhée joyeuse. Nous avons chanté un hymne à la supernova, façon blues John Lee Hooker. « Ma supernova », s'avoua-t-il un instant, dissimulant modestement sa fierté. Il m'a longuement raconté les nuits solitaires. Sa passion pour les étoiles ou la comète de Halley, l'année précédente. Sa situation incertaine d'étudiant pas tout à fait professionnel. A la croisée des chemins Las Campanas-La Silla, il s'est prêté de nouveau au jeu des photos. Puis, Shelton s'est mis à conduire sans les bras, les mains au plafond, en rigolant du précipice. J'ai risqué une plaisanterie : 1987A est proche de la Tarentule, mais Shelton, lui, a une araignée au plafond. La traduction en anglais a rendu le jeu de mots définitivement de mauvais goût. Shelton, plus rapide que la lumière, a fait un retour instantané du cosmos à la Terre. « Ici, me dit-il, il y a encore des chercheurs d'or. Un copain physicien est même devenu riche. Regarde le torrent, il doit charrier quelques pépites. » J'ai songé que cet or venait d'une supernova inconnue, née dans la nuit des temps. J'ai regardé, mais nous allions trop vite. Dans une vallée proche, m'a-t-il raconté, des illuminés ont fondé une secte. Dangereuse, apparemment, mais il n'avait pas vérifié. Un âne marchait en travers de la route, et un camion venait en sens inverse. J'ai vu mon heure d'implosion arrivée. Le 4 × 4 a bondi comme il faut, un peu plus loin, en lieu sûr. Nous avons croisé de pauvres villages anémiques. Quelques maisons de tôle et de carton, quelques chèvres, des cailloux partout. Dramatique crise. Cours du cuivre effondré. Paysans démunis. Où peut-on trouver de la nourriture ici ? ai-je demandé. Enfin, la civilisation est revenue. Un carrefour, un feu rouge, des autobus et des passants. La Serena. Hôtel Francisco de Aguirre, découvreur du Chili. Soleil orange sur les vagues. Plus banal que sur la montagne. Dîner à La Crêperie.

Les jeunes Chiliens ne l'ont pas reconnu tout de suite. Avec Raul, nous avons parlé du « pop rock in Spanish », des groupes argentins qu'envient les rockers d'ici, Aterrizaje Forzoso, Nylon ou Valija Diplomática. Nous sommes convenus qu'il faudrait écouter Los Prisioneros, les plus engagés politiquement, considérés « de gauche », les plus populaires. La libre parole de Raul avait un tour rafraîchissant. Au bout d'une heure ou deux, une chaîne de télé locale, bien renseignée, est arrivée. Projecteurs, caméra portable, micro. Shelton en a été tout retourné. Après plusieurs heures d'explosion lyrique, tout était dit. Il ne voulait plus desserrer les dents. Les journalistes se sont fâchés. M'ont pris à part pour que je plaide leur cause. Oui, il était redescendu de sa montagne, il fallait qu'il parle à tout le monde. Il était devenu vedette, star d'un instant par la grâce d'une autre star. Ça l'a rendu morose. Tout allait trop vite. Tout se gâtait. Comme une belle aventure qui défilerait à l'accéléré, faisant vieillir les acteurs à vue d'œil et pourrissant les merveilleuses choses à raconter. Après la solitude, la bousculade. Après l'attente, la précipitation. Ici, il n'y avait pas de télescope où se réfugier et Shelton s'est senti perdu. Il est allé dormir.

Le lendemain, tout était lumineux, et toutes les supernovae du monde ne valaient pas notre bon Soleil. J'ai mis le cap sur le siège de l'observatoire américain de Cerro Tololo, à La Serena. Sur le seuil, j'ai rencontré Gavin Scott, le confrère du *Time*. Robert Williams, le directeur des lieux, trônait en magnifique short sur un large fauteuil du bureau, parfaitement heureux. Il avait lui-même pris son téléphone, quelques jours plus tôt, pour avertir les journalistes américains de la grande nouvelle astronomique. « Hey, ce sont les dollars des impôts qui financent notre job. Il fallait impérativement informer le public. » *Hello, happy tax payers, there's a supernova over there!*

Bob fut si actif qu'au tout début, la confusion fut totale. Des dépêches d'agence avaient même laissé entendre que la découverte avait été faite par son observatoire. La vedette avait été ravie à Las Campanas. Un bon coup pour Cerro Tololo, qui, depuis long-temps, vend son circuit astronomique aux touristes. T-shirts, cas-quettes, badges, autocollants, puis grande virée en car dans la montagne.

Bob a attaqué à l'américaine. « Comprenez-moi bien. Avec la supernova, il s'agit de science pure. Il y a très peu d'applications. » Gavin et moi avons opiné gravement. Je me doutais un peu qu'on ne pourrait pas faire grand-chose avec une lumière vieille de 170 000 ans, et Bob était déroutant. Finalement, j'avais compris. Bob était en train de nous expliquer peu ou prou : ce n'est pas parce qu'il n'y a pas d'applications que ce n'est pas important. Ça oui, je saisissais. Il avait tenu, dans un souci louable, à nous empêcher de demander bêtement : « A quoi ça sert ? » Lui aussi, comme Schatzman, avait dû être échaudé, un jour.

Emporté par un flot de paroles, Bob, à l'instar de tous les autres astronomes, s'enflamma à son tour pour 1987A. Lui aussi s'interrogeait sur le progéniteur de la supernova. Selon ses amis Mike Schara et Berry Lasker de Baltimore, une certaine Sanduleak semblait bonne candidate. (A part moi, je me réjouis de voir que les hypothèses concordaient d'un labo à un autre.) C'était apparemment une supergéante bleue. Seulement voilà, on ne comprenait pas pourquoi c'était justement elle qui avait explosé. Elle semblait trop « jeune » pour finir déjà en une telle explosion. Qu'importe, on allait petit à petit parvenir à y voir plus clair. Il y faudrait le concours des meilleurs théoriciens et aussi des observateurs sur le qui-vive. A Cerro Tololo, les chercheurs disposent de sept télescopes, dont un énorme « quatre mètres », plus grand que le 3,60 mètres de La Silla. Mais il était pour l'instant d'un piètre secours, car la lumière était trop intense pour les détecteurs installés. Incroyable, mais vrai. Supernova ne péchait pas par manque de luminosité comme nombre d'objets que les astronomes aimeraient étudier, mais par excès. Du coup, l'observation se révélait plus fructueuse pour l'instant avec les petits télescopes, 1,50 mètre, 1 mètre, 0,50 mètre. Plus tard, quand la lumière finirait par baisser, l'extraordinaire résolution du grand miroir serait d'un grand apport.

Cela ne signifiait cependant pas que 1987A, en soi, était vraiment très lumineuse. Elle l'était même moins que ce à quoi on s'attendait. « Si elle avait évolué comme les premières données le laissaient prévoir, sa luminosité aurait dû atteindre une magnitude de l'ordre de 1 à 0 », selon Bob. (Un plus petit nombre correspond à une étoile plus brillante. Ainsi, Sirius, la plus brillante des étoiles du ciel, a une magnitude de − 1,5.) Au lieu de cela, 1987A n'était montée que jusqu'à 4,5, l'équivalent d'une étoile moyenne, et elle s'était mise à osciller autour de ce nombre.

Comme à La Silla, les équipes s'étaient également étonnées, lors des toutes premières mesures, de l'intensité ultraviolette de l'objet. « Elles ne ressemblent vraiment pas à un spectre habituel ! » Et puis, les nuages de gaz filant dans le cosmos à plus de 17 000 km/s avaient viré beaucoup plus vite que prévu du bleu au rouge. « Un changement cinq à dix fois plus rapide que les autres supernovae. » Il y avait de quoi retourner les modèles en tous sens. C'était le lot normal. La nature « force notre compréhension ». Et Bob n'était, de toute manière, pas du genre à cultiver le doute. « Les théoriciens finissent toujours par forger un modèle qui colle avec les données. » Ce qui est important, conclut-il, c'est de poursuivre longuement nos observations. Ce n'est que le tout début. Mais dans six mois, nous la regarderons encore, et aussi dans un an, ou deux... Car derrière les nuages de gaz, nous verrons peut-être apparaître autre chose, un pulsar, ou peut-être un trou noir. Gavin et moi avons dressé l'oreille. Trou noir sont deux mots qui ont le don de faire frémir l'imagination journalistique. Mais Bob ne voulait pas trop en promettre pour tout de suite. « Il faudra attendre que les gaz deviennent transparents, que l'on puisse voir au travers. Quand cela arrivera-t-il ? On ne peut que jouer aux devinettes, trois, six semaines, un an, plus encore... » Pour l'instant, le mieux était encore de monter sur la montagne et de rencontrer les observateurs.

Le lendemain, Shelton et moi avons repris le 4 × 4. Cerro Tololo a raison de faire sa publicité touristique. La route est splendide. Elle grimpe parfois dans un univers uniquement minéral, rougeoyant, flambant d'un feu de pierre. A l'arrivée, on est saisi. Une bonne partie des coupoles, contrairement à La Silla où elles sont dispersées, sont regroupées sur une grande plate-forme, surplombant les monts alentour. Rougeoiement des pierres, bleuté profond du ciel, reflets argent des dômes, Cerro Tololo, aujourd'hui, ressemble à un paradis de couleurs. Mario Hamuy, un jeune astronome chilien étonnamment blond, nous reçoit sur le pas d'une grande salle dominant la vallée. L'observatoire est calme. Sept personnes seulement vivent sur la montagne. Mais Mario, ami de Shelton, ne s'en soucie guère, car il se sent bénéficiaire d'une chance inouïe. Dépendant du département d'astronomie de l'université du Chili à Santiago, voilà quelques jours seulement qu'il travaille régulièrement pour Cerro Tololo. Depuis le 27 février dernier, exactement, coïncidence, à trois jours près, avec l'arrivée de la supernova. Comme un fou, il dresse depuis lors toutes sortes de courbes de lumière, en ultraviolet, bleu, vert, rouge, infrarouge. Comme tous, il s'interroge sur les éléments chimiques reconnaissables, sur la vitesse d'expansion des gaz, sur les températures qui règnent dans cette fournaise cosmique.

George Djorgovski, de l'université de Harvard, a surpris notre conversation. Visiteur, voilà sept nuits qu'il a eu la chance d'observer, lui aussi, la supernova. Comme ses collègues de La Silla, il était venu pour une tout autre raison, les quasars, ces concentrations de matière extrêmement lumineuses — cent mille milliards de soleils — que l'on parvient à observer aux « confins » de l'univers, vers treize ou quatorze milliards d'années-lumière. Son objectif à lui, repérer des galaxies proches des quasars, et éventuellement observer le phénomène de « lentilles gravitationnelles ». Ces dédoublements, voire ces déformations troublantes, des images lumineuses, sous l'effet d'une attraction gravitationnelle intense. La supernova est venue bouleverser ce beau programme. George, lui non plus, ne trouve aucune raison de se plaindre. Mieux, il va pouvoir, très vite, utiliser ses données. Dans deux ou trois jours, il prendra l'avion pour l'Europe. Pour les Alpes françaises, plus exactement. Là, doit se tenir à la station de ski des Arcs un colloque consacré aux particules et à l'astrophysique. Il savoure les interventions à l'avance. Ce sera très important, assure-t-il. Le premier colloque du genre depuis l'apparition de 1987A, où se retrouveront divers observateurs de la supernova, mais aussi des physiciens. Ces derniers ont quelque chose de très important à relater. Sous des montagnes, disséminés sur la planète entière, sous le mont Blanc et aussi dans une mine de l'Utah, sous la terre indienne et aussi japonaise, les équipes des laboratoires souterrains ont détecté des neutrinos. Des neutrinos apparemment venus de la supernova. Du jamais vu. Selon les coups de téléphone qu'il a passés cet après-midi, la tension monte dans les laboratoires. Je connais les physiciens des particules, ces adeptes de la « Big Science ». Si la supernova leur a envoyé un clin d'œil, ils vont en faire des tonnes. « Prima donna » des sciences « dures », certains sont passés maîtres dans l'art de faire monter la mayonnaise médiatique.

1987A est vraiment parfaite. Non contente d'éblouir les télescopes au sommet des montagnes, la voilà qui perce les entrailles terrestres. Mieux, elle a su s'y faire reconnaître. Supernova 1987A est résolument moderne, elle joue la star sur tous les tableaux.

Il est temps maintenant de réintégrer l'Europe pour assister à son nouveau numéro.

Chapitre 8
L'affaire neutrino

Djorgovski a dit vrai. Aussitôt revenue dans l'Hexagone en cette première quinzaine de mars 1987, j'ai senti qu'ils étaient parmi nous. A mobiliser toute une armée de spécialistes dans les Alpes. A squatter les exposés de l'observatoire astronomique de Meudon et les conférences de préinauguration à Orsay d'un laboratoire d'astrophysique spatiale. A s'agiter dans les calculateurs du Centre national de la recherche scientifique ou du Commissariat à l'énergie atomique. Ces envahisseurs invisibles, désormais au cœur de tous les débats, ce sont les neutrinos.

C'est près des pistes de ski qu'ils ont frappé leur premier grand coup. Comme chaque année, des physiciens des particules et des astrophysiciens viennent de se retrouver aux Rencontres de Moriond, organisées par le théoricien de l'université d'Orsay, Tran Thanh Van. Ici l'atmosphère se veut détendue. Accueillis à la station de ski des Arcs, les scientifiques commencent par s'installer dans un sympathique hôtel au pied des pistes enneigées. Les uns viennent du CERN de Genève, autrement dit de la porte à côté. De nombreux autres ont fait un petit tour de planète après avoir décollé du Japon, d'Union soviétique, d'Inde ou des États-Unis. Tout ce petit monde, d'une vingtaine de pays différents, commence par se saluer dans le hall et inspecte la pochette du programme à venir. Les habitués reprennent leurs habitudes, les nouveaux comprennent rapidement les règles du jeu.

Les sessions ont lieu à trois minutes de marche de l'hôtel, dans un grand hall circulaire de bois cerné par la neige, le plus souvent réservé aux films documentaires sur l'escalade ou le ski hors piste. Matinées et fins d'après-midi sont studieuses, passées à écouter les orateurs devant leur rétroprojecteur. L'après-midi, l'assemblée s'éparpille sur les pentes. *Mens sana in corpore sano* demeure la devise adéquate d'une telle organisation, qui fait irrésistiblement penser à une classe de neige pour grosses têtes. Mais cette année, la classe est enfiévrée. Dès le premier soir, avant même que les sessions n'aient commencé, la discussion fait rage autour des tables. Les uns griffonnent sur la nappe, d'autres hochent la tête, pensifs. Les profanes, venus simplement pour profiter des remonte-pentes, peuvent saisir à la volée de vigoureuses conversations en un anglais étrange, esperanto bizarre déformé à la russe, à la française, ou à la japonaise. Car les neutrinos sont de tous les dialogues. Et, jusqu'à plus ample informé, ces envahisseurs n'ont leur place qu'au Top 50 des spécialistes. Dommage! Ces anges du cosmos sont annonciateurs de sacrées nouvelles. La manière dont finira notre univers par exemple. Mais n'allons pas trop vite en besogne.

Ce que nos scientifiques discutent âprement ces jours-ci, c'est la détection, pour la première fois dans l'histoire de l'astronomie, de neutrinos en provenance d'une explosion d'étoile. Des messagers en direct du cœur de la supernova de Shelton. Des porteurs de nouvelles en accord surprenant avec les théories d'explosion d'étoiles déjà établies.

Si « miracle » scientifique il y eut, c'est bien celui-là. D'abord, fait rarissime, la supernova a été détectée visuellement quelques heures seulement après son explosion puis observée avec soin par toute une panoplie de télescopes. Mais il y a plus important. D'autres détecteurs, hors des observatoires classiques, sont parvenus à « voir » autre chose que ses photons. Ils ont repéré ses neutrinos, particules les plus évanescentes qui soient. Cela, grâce aux développements tout récents d'une physique nouvelle, une physique « underground », au sens propre du terme.

Au cours de ces dernières années, certains physiciens des particules ont en effet décidé de jouer les taupes. De s'enterrer avec leur matériel au fond des mines ou dans de profonds tunnels. A l'origine, cette physique des sous-sols a été dictée par une interrogation bien particulière : le proton, cette particule au cœur de l'hydrogène, l'élément le plus abondant de l'univers, se désintègre-t-il dans un temps mesurable (très long cependant)? Le proton est-il instable? La question est absconse et semble à peu près aussi importante que le sexe des anges pour le profane. Pourtant, c'est une interrogation scientifique majeure de la décennie. Elle est issue d'une des théories les plus tentantes qui soient, la théorie dite de grande unification des forces de la physique. Avec cette théorie, liée aux plus récentes découvertes de l'astronomie, les physiciens ont cru entrevoir la possibilité de décrire les premiers temps de l'univers. D'évoquer l'apparition de particules supermassives, donnant naissance à d'autres particules, les quarks, eux-mêmes au cœur des protons et neutrons tels que nous les connaissons aujourd'hui. Pour les « besoins » de cette théorie, le proton, qui nous concerne ici, aurait dû se montrer instable. Il aurait présenté une certaine probabilité (faible mais non nulle) de se désintégrer en d'autres particules. C'est pour repérer cette désintégration que les physiciens ont commencé à construire d'énormes détecteurs enterrés, échappant aux myriades de particules perturbatrices du rayonnement cosmique. Las ! Personne jusqu'à présent n'a vu le proton se désintégrer. Les théoriciens ont donc dû remettre leur ouvrage intellectuel sur le métier et les expérimentateurs songer à reconvertir leurs détecteurs. Rapidement, on a compris l'usage que l'on pourrait en faire, en s'orientant vers un champ d'étude très vaste et nouveau, champ que l'on pourrait baptiser astronomie corpusculaire. Mieux, de nouveaux détecteurs ont été conçus, pour l'étude spécifique des effondrements d'étoiles.

L'entreprise est gigantesque, à la mesure des événements astronomiques. Ainsi, sous le mont Blanc, une équipe italo-soviétique a construit un réservoir de 150 tonnes de liquide (LSD, Large Scintillation Detector), dans lequel lesdits corpuscules doivent provoquer d'intéressants scintillements. Plus énorme encore : au Japon (expérience Kamiokande), aux États-Unis (expérience IMB, Irvine-Michigan-Brookhaven), ce sont des milliers de tonnes d'eau qui attendent, enterrées, d'enregistrer les messages extraterrestres. Et à Baksan, en Union soviétique, 3000 scintillateurs liquides guettent le neutrino de passage. Dès l'annonce, dans le milieu des astronomes, de l'apparition de la supernova, les physiciens de tous ces laboratoires se sont empressés de dépouiller les données enregistrées automatiquement sur leurs bandes magnétiques. Dans les trois jours, un premier *preprint* théorique, c'est-à-dire un article à paraître dans une revue spécialisée et que l'on fait circuler avant la publication formelle, a indiqué aux expérimentateurs ce qu'ils auraient dû enregistrer dans leurs appareillages. Frénétiquement, ces derniers ont dépouillé leurs bandes magnétiques, pour voir si quelque chose d'inhabituel était inscrit dessus, aux alentours de la date fatidique du 24 février.

La réponse, venue des quatre coins du monde, a été oui. Cinq jours après l'explosion, un télégramme de l'Union internationale astronomique a annoncé que l'équipe du mont Blanc avait vu un signal. Dès le 6 mars, les Japonais ont proposé un *preprint* à la revue *Physical Review Letters,* stipulant leurs résultats. Le 9 mars, c'était au tour des Américains d'IMB d'envoyer le leur à la même revue. Et aujourd'hui, aux Arcs, les scientifiques examinent, pour la première fois en un même lieu, les résultats épars.

M. Saavedra, de la collaboration Turin-Moscou, présente les résultats du tunnel du mont Blanc : le signal consiste en cinq interactions survenues pendant sept secondes. Le premier événement a eu lieu le 23 février à 2 heures 52 minutes 36 secondes en temps universel (TU). (Par comparaison, la découverte de Shelton est répertoriée à la date du 24 février, 2 heures 40 minutes, TU.)

M. Kajita, de l'université de Tokyo, apporte, lui, les résultats de la collaboration Japon-Université de Pennsylvanie. Dans sa besace scientifique, il compte une bouffée de onze événements enregistrés pendant treize secondes, dont huit survenant pendant les deux premières secondes. Le temps d'arrivée est le 23 février à 7 heures 35 minutes 35 secondes TU. Bien sûr, il y a une incertitude assez grande sur ce temps, de l'ordre d'une minute. Mais une chose est sûre, aucun signal n'a été détecté autour de 2 heures 52 minutes comme au mont Blanc.

M. Van der Velde, de l'université du Michigan, parle pour IMB. Huit événements ont été observés en six secondes. Le temps d'arrivée est le 23 février à 7 heures 35 minutes 41 secondes. L'incertitude dans le temps est minime, 50 millisecondes au plus. Et, aucun signal n'a été vu à 2 heures 52 minutes.

M. Pomansky, de l'Académie des sciences d'URSS, dévoile une analyse préliminaire des événements enregistrés à Baksan. Trois événements ont été détectés le 23 février à 7 heures 36 minutes 06 secondes.

Ce que ces quatre porte-parole sont venus dire et qu'ils n'ont pas besoin d'expliciter devant leur public spécialisé est la chose suivante : un jour, à partir d'une certaine heure, des particules ayant échappé d'un astre lointain, à 170 000 années-lumière de nous, se sont fait piéger dans de grands réservoirs construits par les humains. Elles ont voyagé, traversé les nuages interstellaires, dépassé les poussières du cosmos, pénétré la Terre, pour enfin mourir dans l'eau des détecteurs. Quasiment aucune ne s'est perdue en route, mais très peu ont fini leur course dans cette eau-piège. Cela, les scientifiques le savent très bien. Leurs détecteurs ont une capacité limitée à faire la récolte, mais on la connaît bien. On sait que certaines particules, d'une certaine énergie, ne seront de toute façon pas vues. On sait que d'autres, des milliards d'autres n'auront pas interagi, car, comme nous l'avons dit plusieurs fois, les neutrinos se jouent des plus forts obstacles. Seul un mur de plomb de plusieurs années-lumière d'épaisseur parviendrait à les piéger tous. Tout cela, c'est le lot habituel de la physique expérimentale. En revanche, en toute connaissance des limites des appareillages, les scientifiques peuvent recomposer une image assez proche de la réalité. Sachant que ce que l'on « voit » n'est que la partie émergée d'un iceberg gigantesque, on s'arrange pour que cette partie soit assez significative pour donner une bonne représentation de l'iceberg tout entier.

Tout cela n'est, bien sûr, qu'une vision idyllique des choses. Rétrospectivement, on se rend compte qu'en fait, toute expérimentation a sa part de chance et de malchance. L'intrusion de ces hasards, parfois malheureux, peut venir perturber les interprétations. Ainsi, si l'expérience Kamiokande montre une grande incertitude dans le temps d'arrivée, il y a une bonne « raison » à cela : à l'origine, l'objet de la recherche des Japonais était, rappelons-le, la désintégration du proton. L'heure d'arrivée d'un proton se désintégrant ne semblait pas d'une extrême importance. Du coup, l'équipe avait basé ses enregistrements sur une heure entrée « manuellement » dans l'ordinateur pilotant l'expérience, à partir d'une sorte d'horloge parlante. Les neutrinos devenant brusquement les rois de la scène, l'équipe aurait bien aimé disposer pour son analyse d'un temps d'arrivée plus précis. Il aurait suffi de recalibrer l'horloge interne de l'ordinateur. Malheureusement, le 25 février, une coupure intempestive et totale du courant eut lieu dans la mine de Kamioka. Impossible dès lors de remonter dans le temps de façon précise pour ajuster les données.

Dans l'expérience américaine aussi, le sort s'est acharné, mais d'une autre manière. Quelques heures avant la détection, au beau milieu de la nuit, une alimentation électrique est tombée en panne. Résultat, un quart environ du détecteur devenait inutilisable. Pire, le système d'acquisition des données, filtrées par des programmes informatiques, ne fonctionnait plus. Heureusement, ont pu constater par la suite les expérimentateurs, il a été possible de retrouver sans trop de difficultés l'enregistrement de certaines données de base, nécessitant une nouvelle analyse informatique.

Ces incidents passés, voilà donc nos chercheurs et leurs résultats devant une assemblée de pairs. Dans la salle des Arcs, la discussion s'échauffe instantanément. Les trois événements de Baksan font figure de bien maigre récolte. Faible signification statistique, tranchent les collègues, bienveillants mais sévères pour tout ce qui touche à la rigueur d'interprétation. A Baksan, il n'est pas rare de voir des bouffées similaires d'événements, possédant les mêmes caractéristiques que ces trois-là. Alors, ils ne méritent peut-être pas qu'on s'y arrête particulièrement. Pire est l'accueil fait aux cinq événements du mont Blanc. Pourquoi une telle différence dans le temps d'arrivée avec les autres expériences ? Elle semble inexplicable. Ces cinq trouble-fête sont regardés avec méfiance, voire hostilité. Ils ont le désavantage de demeurer isolés, sans soutien. Seraient-ils le fruit d'une coïncidence fortuite ? Le doute est trop fort, les données du mont Blanc seront éliminées. L'approbation va donc aux deux autres expériences, Kamiokande la japonaise et IMB l'américaine. Les observations ont le mérite d'être simultanées, aux incertitudes près. Mieux, l'analyse de tous les événements survenus pendant deux mois, dans les deux détecteurs, suggère que ceux du 23 février ne sauraient être le fruit du hasard. Bien sûr, chacun sait que le bruit de fond des détecteurs, les événements fortuits existent. Or, en les examinant de près, on s'est rendu compte que les fluctuations ne seraient capables de simuler les événements observés qu'au plus une fois tous les dix millions d'années. Une bien faible probabilité. Oui, le nombre total d'événements est petit, mais la conviction est générale : de telles observations sont significatives. Au Japon et aux États-Unis, ce sont bien des neutrinos de la supernova qui se sont manifestés.

Pour Tran Thanh Van, qui a organisé cette discussion, l'annonce est considérable : ce n'est rien de moins qu'une « astronomie nouvelle qui vient de naître ». Celle des neutrinos extra-solaires (le soleil, en effet, produit aussi des neutrinos dans ses réactions de fusion). Oui, « l'ère de l'astronomie des neutrinos est arrivée », confirme, enthousiaste, Lawrence Sulak, de l'université de Boston, investigateur principal de l'expérience IMB. « Nous sommes à la veille de comprendre toutes les implications de cette nouvelle découverte. »

De fait, avec cette récolte plutôt bonne, il faut aller plus loin que le simple comptage des événements. Il faut analyser leur énergie, examiner leur séquence d'arrivée. Maurice Goldhaber, physicien renommé de Brookhaven, constate : « Entre les temps absolus d'observations, on constate de petites divergences, qui peuvent probablement s'expliquer. On s'efforcera sans aucun doute de tirer tout ce que l'on pourra de ces données pendant encore longtemps, peut-être jusqu'à l'apparition de la prochaine supernova dans une galaxie proche. Le fait que les données concordent presque avec la théorie à propos de ce phénomène impressionnant doit être considéré comme un triomphe pour les sciences en amont (physique nucléaire, physique des particules et astrophysique) et renforce notre confiance dans les hypothèses émises à propos du Big Bang. »

Non seulement ces paramètres semblent s'accorder aux théories déjà existantes de l'explosion des étoiles, ce qui ravit tout le monde, mais ils peuvent en effet nous dire encore autre chose. Nous parler des neutrinos eux-mêmes. Cela va droit au cœur des physiciens des particules, qui ne cessent de s'interroger sur le neutrino depuis plusieurs décennies. Les milliers de tonnes d'eau des expériences enterrées n'ont réussi qu'à arrêter une poignée d'entre eux. Et pourtant, comme nous l'avons déjà dit, c'est par milliards de milliards qu'ils balayent l'univers, notre Terre, nos corps, nos têtes. Ces leptons — léger, en grec — semblent insaisissables. Pire, on ne sait plus très exactement comment les décrire.

A l'origine, tout semblait simple. On s'entendait pour dire que le neutrino n'avait pas de masse. Bon nombre de théoriciens le pensent toujours. Mais d'autres se sont mis à contester la chose. Or, une « bonne » théorie n'a que faire du décompte de voix pour et contre. Ce qu'elle exige, c'est une parfaite rigueur. Des observations solides et rigoureuses, apportant la preuve expérimentale des affirmations, peuvent y aider.

Au début, donc, tout semblait limpide. Wolfgang Pauli, en 1932, imagine, pour des besoins tout théoriques, qu'une nouvelle particule existe. Il en a postulé l'existence en regardant de près la désintégration bêta. Dans ce phénomène de radioactivité, un neutron d'un noyau se transforme en proton et laisse échapper un électron, porteur d'une certaine énergie. Or Pauli a remarqué qu'en comparant les énergies, avant et après la dégénérescence du neutron, il y avait une petite différence. Il eut donc l'idée d'introduire une nouvelle particule, sans masse, capable d'emporter cette petite différence d'énergie. Plus tard, Enrico Fermi approfondit la question, et baptisa cette nouvelle particule « petit neutre » ou neutrino. Mais le petit neutre ne demeurait qu'un être tout théorique. Il fallut attendre 1956 et l'expérience des Américains Reines et Cowan, auprès du réacteur nucléaire de Savannah River, pour détecter cette particule.

Depuis, les grands accélérateurs, au Fermilab de Chicago ou au CERN de Genève, en ont produit des flux intenses. Son existence est parfaitement reconnue. En revanche, « la question de savoir si le neutrino possède ou non une masse, explique Michel Spiro, physicien des hautes énergies à Saclay, n'est pas résolue théoriquement. Il n'existe pas, actuellement, de guide théorique nous permettant une véritable prédiction ». Du coup, bon nombre de physiciens ont décidé de s'attaquer au problème expérimentalement. L'une des expériences les plus connues a été montée par le Soviétique Lyubimov, selon lequel le neutrino possède effectivement une petite masse. Mais ses résultats sont loin d'avoir convaincu la communauté scientifique, qui continue de s'interroger.

Elle s'interroge d'autant plus que l'éventuelle masse du neutrino aurait des effets spectaculaires sur l'univers. Comme nous l'avons compris dans certains chapitres précédents, la gravitation, qui joue avec les masses, est un phénomène fondamental. Or, c'est là tout le problème, on ne connaît pas la masse exacte de notre univers tout entier. Oh, bien sûr, on a commencé à dénombrer les galaxies, les amas de galaxies, à évaluer la quantité de matière qu'ils contiennent. Mais, depuis longtemps, on se dit aussi que notre univers pourrait être beaucoup plus massif qu'il n'y paraît. Car, justement, certains amas de galaxies semblent un peu bizarres. S'ils contenaient uniquement la matière que l'on y voit, il y a longtemps qu'ils se seraient éparpillés dans l'univers. Cette matière visible ne permet pas, à elle seule, de leur assurer une cohésion assez forte, une attraction gravitationnelle assez puissante. Voilà pourquoi les astrophysiciens imaginent que de la matière invisible se dissimule en leur sein.

L'univers pourrait ainsi receler une gigantesque « masse cachée », qui influerait sur son évolution. En effet, plus de masse il y a, plus forte est la tendance de notre univers à se concentrer. Aujourd'hui, toutes les observations convergent pour montrer que le cosmos est en expansion. Toutes les galaxies se fuient les unes des autres. Mais en sera-t-il toujours ainsi ? Si la masse totale n'excède pas une certaine masse dite critique, eh bien oui, l'univers continuera son expansion. Il se dilatera toujours plus, dans un refroidissement inexorable. Mais que la masse cachée dépasse une certaine valeur et l'évolution pourrait, un jour, se renverser. De l'expansion, elle passerait à la contraction. A l'opposé du froid éternel, l'univers reconcentrerait peu à peu sa matière pour retourner vers une véritable fournaise. Une fin en « Big Crunch » après un début en « Big Bang ». C'est dans ces scénarios que les neutrinos pourraient jouer un rôle. Qu'ils aient une masse, même petite, et l'accumulation de ces particules donnerait un « poids » beaucoup plus important à l'univers. On estime en moyenne leur nombre à 300 millions par mètre cube. Alors que dans ce même mètre cube, on ne peut discerner qu'un seul proton. Ce dernier est lourd, un milliard d'électronvolts (c'est l'unité de mesure pour les masses très petites des particules). Mais que les neutrinos ne fassent que 10 électronvolts, et leur poids global atteint 3 milliards d'électronvolts dans ledit mètre cube. Voilà pourquoi les neutrinos pourraient compter pour beaucoup dans la fameuse masse cachée.

« Si l'explosion originelle a bien lancé l'expansion de l'univers, il n'est pas exclu que les neutrinos et autres anges lui offrent le voyage de retour », dit joliment Michel Cassé. S'interroger sur la masse des neutrinos n'est pas, on le voit, un exercice banal. Dans la réponse réside l'une des clés de la cosmologie.

Les neutrinos de la supernova peuvent-ils guider vers cette réponse ? Même si la statistique est faible, ils livrent effectivement quelques éléments. Selon les enregistrements des détecteurs enterrés, il semble possible d'assigner une valeur supérieure à la masse des neutrinos. Au plus 10 électronvolts selon les optimistes, au plus 30 électronvolts pour les plus prudents. Ce qui demeure quand même faible.

Autre indication, donnée par les neutrinos de la supernova : la taille de leur famille. Je n'en ai pas parlé jusqu'à présent, mais il faut savoir que les théoriciens ont d'ores et déjà reconnu trois espèces de neutrinos : électronique, muonique et tau. Or, il pourrait y en avoir d'autres, pour l'instant inconnues. La question qui se pose ici est de savoir dans quelle mesure les neutrinos d'une espèce se transforment en neutrinos d'une autre espèce, et ce, au bout de combien de temps. Ils présenteraient ainsi ce que les scientifiques baptisent phénomène d'oscillations des neutrinos. Une fois encore, la question est de première importance théorique. En effet, les détecteurs souterrains ne savent reconnaître que les neutrinos électroniques. Si certains s'étaient déjà transformés en une autre espèce avant d'atteindre le détecteur, alors le nombre de neutrinos observés ne donnerait qu'une fausse impression du nombre de neutrinos total. Selon les observations issues de la supernova, il serait déjà possible de donner une limite au nombre d'espèces de neutrinos : une dizaine au maximum. Une contrainte nouvelle, très forte, au royaume des théories concernant les particules fondamentales.

Toutes ces nouvelles données vont sans doute relancer de plus belle la course tous azimuts à la compréhension des neutrinos. Ceux de notre propre Soleil, par exemple, qui ne laissent pas d'intriguer les astrophysiciens. A eux seuls, ils constituent une autre énigme, qui fait enrager théoriciens et expérimentateurs : un grand détecteur, construit exprès pour eux dans une mine du Dakota du Sud, a repéré trois fois moins de neutrinos que la théorie ne le prévoit. Pour le coup, les neutrinos de la supernova se sont montrés beaucoup plus fidèles aux prédictions que leurs collègues solaires. Un comble ! Voilà notre Soleil, l'étoile à notre portée, plus énigmatique que la supernova, événement complexe de l'univers.

Il faudra donc observer, observer encore. Et construire de nouveaux observatoires à neutrinos. « Mon souhait le plus cher, s'est exclamé ces derniers jours John Bahcall, de l'université de Princeton, est que cette détection initiale, pour ainsi dire accidentelle, lance pour de bon l'astronomie des neutrinos. L'une des meilleures nouvelles est que nous n'aurons même pas à chercher au-delà de notre propre galaxie. Les théories d'évolution stellaire prédisent que les explosions de supernovae doivent avoir lieu assez souvent. Mais, jusqu'à présent, la vue des supernovae a été bloquée par les nuages moléculaires, les poussières et toutes sortes de parasites. Or, rien ne bloque vraiment les neutrinos. Maintenant que nous savons quoi chercher, nous devrions être capables de détecter la " signature des neutrinos " d'une supernova relativement proche tous les dix ans. »

Mais cela est une autre histoire. Reste maintenant à comprendre d'où vient exactement cette bouffée de particules qui a électrisé le milieu des physiciens et astrophysiciens.

Chapitre 9
Les minutes de l'explosion

Extérieur nuit. Paris arbore dans son ciel de grands nuages orangés. Deux ans à peine se sont écoulés depuis la découverte de Shelton. Mais ce soir, les bouquets d'étoiles de l'hémisphère Sud ne sont plus pour moi qu'un ravissement lointain, englouti dans les souvenirs. Les cumulo-nimbus et les lumières de la ville réduisent mon univers et je m'interroge : qu'auraient pensé les Anciens si cette couverture nuageuse avait été permanente ? Auraient-ils deviné que notre lumière vient d'un astre rond, assez éloigné de nous, autour duquel nous tournons ? Ou auraient-ils adoré un saint Sémaphore tout-puissant, clignotant l'alternance jour-nuit ? Auraient-ils cru à des nuages magiques, alternativement noirs puis blancs ? Et qu'auraient-ils pensé des nuits plus claires que d'autres, quand une lumière bleutée rend les nuages blafards (à la pleine Lune) ? Finalement, ma conviction est faite. La puissance de l'analyse scientifique aurait fini par vaincre les nuages. Le Soleil, même invisible, par imposer son évidence. La Lune aussi.

Comment penser autrement, après avoir vu l'enthousiasme des théoriciens pour les neutrinos ? Pour tout dire, ils m'ont épatée, au printemps 1987. Onze particules par-ci, huit par-là, et ils savaient déjà y voir, eux, le reflet de ce qui s'est passé il y a 170 000 ans dans le Grand Nuage de Magellan. L'oignon cosmique si lointain était tout proche de leur compréhension. Pour moi, il semblait encore bien obscur. Depuis, de nombreuses analyses ont dissipé presque tous les nuages des cerveaux scientifiques. De mon côté, j'ai tenté de suivre la progression de leurs travaux complexes, de colloque en colloque, à Munich, à l'Institut d'astrophysique de Paris ou à Baltimore. Entre-temps, je suis revenue à mes dépêches,

97

sur la haute définition télé ou sur les virus informatiques ravageurs de réseaux. Le travail journalistique, forcément éparpillé, m'a conduite à des os de dinosaures en Espagne puis à une navette spatiale ressuscitée, au Cap Kennedy. La recherche sur la supernova s'est poursuivie, elle, avec la constance voulue, au rythme du cosmos. De La Silla, de Cerro Tololo, d'Australie, ou des satellites en orbite, n'ont cessé d'affluer de nouvelles données. Les théoriciens ont planché sur leurs modèles. Les scientifiques font la vie dure aux journalistes. Alors, j'ai dû consulter de nombreux livres et écouter les spécialistes pour tenter de comprendre.

L'oignon, on s'en souvient, c'était l'étoile juste avant le cataclysme. L'étoile en bout de course, toutes réactions nucléaires épuisées. Une sorte de sphère composite multi-couches, un peu comme ces « boules magiques » aux couleurs superposées qu'aiment sucer les enfants. A l'origine, il n'y avait que de l'hydrogène et un petit peu d'hélium, les éléments les plus vieux de l'univers. Et puis l'étoile a fusionné. Et dans son fantastique creuset, sont nés peu à peu de nouveaux éléments. De ceux qui, ultérieurement, façonneront d'autres zones de l'univers. Notre Terre, par exemple. Ou nous-mêmes, aussi.

En surface, il y a l'hélium, l'azote, puis en s'enfonçant, du carbone, de l'oxygène, du néon, du magnésium, du silicium... Et enfin, le cœur de fer. Un cœur très lourd, refusant de poursuivre plus avant les réactions nucléaires.

La gravité, seul maître, l'oblige à se contracter. Le cœur se fait plus dense, plus chaud. La température devient bientôt gigantesque, dépasse 5 milliards de degrés. Les photons, rendus fous d'énergie, bombardent frénétiquement les noyaux. Ils se cassent, répandant leurs constituants. Ces réactions pompent l'énergie du cœur, transformé en mer de neutrons, de protons et de noyaux d'hélium. La densité grimpe vers des chiffres phénoménaux, 10 000 tonnes par centimètre cube. Imaginez un morceau de sucre pesant 10 000 tonnes... Effroyablement comprimées les unes contre les autres, les particules elles-mêmes commencent à s'entremêler. Après le règne des réactions nucléaires, qui mettaient en jeu des noyaux d'atomes, voici venu le temps des réactions corpusculaires. Les lourds protons (positifs) se font ogres. Ils capturent les petits électrons (négatifs). De cette chasse impitoyable naissent des neutrons (neutres) : l'étoile se « neutronise ».

A chaque capture d'électron, un neutrino est relâché. Le milieu, d'où disparaissent les électrons, se vide de sa pression électronique, qui luttait encore contre l'attraction gravitationnelle. Celle-ci redouble ses effets. Le cœur lâche : il implose.

Les phénomènes ont depuis longtemps perdu tout rapport avec l'échelle humaine. Ici, en cet instant de transformation spectaculaire de l'étoile, le temps se précipite. Les événements se succèdent au rythme des millisecondes, millièmes de seconde. Un clin d'œil que les hommes, aidés des ordinateurs, essayent de décomposer au ralenti. Voilà ce qu'ils nous disent.

La matière tombe désormais en chute libre vers le centre de l'étoile. Ce mouvement s'effectue en deux régions séparées. Le cœur du cœur, et l'enveloppe du cœur.

Le cœur du cœur a une masse d'environ 6 à 8 dixièmes de la masse du Soleil. Il dépend assez peu, selon les théoriciens, de la masse initiale de l'étoile. Son bord externe implose à la vitesse du son. Ses parties internes subissent ce que l'on nomme un « effondrement homologue » (autrement dit, la vitesse d'effondrement est proportionnelle au rayon).

L'enveloppe du cœur, le cœur externe, s'abat, lui, à une vitesse supersonique atteignant 30 000 kilomètres par seconde (près de 110 millions de kilomètres à l'heure).

La matière ne cesse de se comprimer. Les protons avalent toujours plus d'électrons, affaiblissant encore la résistance de l'étoile. D'innombrables neutrons, nés de cette étreinte irrésistible, se serrent les uns contre les autres, laissant échapper des myriades de neutrinos. Dans ce processus de capture, il en naît 10 puissance 58 (1 suivi de 58 zéros) à la seconde. L'implosion continue. Maintenant, la densité du cœur dépasse 1 million de tonnes par centimètre cube. Ce que nous n'avons jamais vu jusqu'à présent finit par arriver. A une telle densité — c'est ce qu'a montré dès 1976 le physicien Mazurek —, la matière devient opaque aux neutrinos. Comme les photons de naguère, coincés dans le Soleil fusionnant son hydrogène, les neutrinos sont piégés. Les anges de la matière se voient couper les ailes. Ils sont contraints à voleter dans l'espace restreint d'une « neutrinosphère », où ils subissent d'incessantes absorptions-émissions. Ce piégeage n'est pas innocent, il conditionne l'évolution de l'implosion. En 1979, Hans Bethe a calculé qu'elle se poursuit jusqu'au moment où la matière a dépassé la densité nucléaire, celle des noyaux atomiques. Elle pèse alors 270 millions de tonnes par centimètre cube. Plus de 100 000 milliards de fois la densité de l'eau.

Bien loin des plasmas d'étoiles classiques, où les particules sont éloignées les unes des autres, la matière du cœur est devenue une sorte de fluide. Les neutrons ont une telle proximité qu'ils commencent à refuser de se comprimer plus avant. Tout comme les électrons, ces particules sont des fermions, obéissant au principe d'exclusion de Pauli. Ils peuvent être comprimés jusqu'à ce qu'ils se touchent, mais alors ils exercent une énorme pression s'opposant à l'attraction gravitationnelle. L'effondrement du cœur interne se ralentit, éventuellement s'arrête.

Mais l'histoire, elle, se poursuit. Car le cœur de fer externe n'a pas encore atteint la densité extrême de l'intérieur de l'étoile. Il continue de tomber en rafale à la surface du cœur interne, le comprimant toujours plus. La situation devient vite intenable. La densité atteint deux à quatre fois la densité nucléaire, la température 150 milliards de degrés : alors, le cœur interne s'arc-boute contre de tels extrêmes, devenant une sorte de mur infranchissable. Comme un ressort que l'on aurait trop forcé, il se détend violemment. L'histoire se renverse. Alors que toute la matière n'avait cessé de converger vers le centre, voilà qu'une énergie phénoménale repart en sens inverse, dans une violente onde de choc, un peu comme une vague refluant sur une jetée. Robert Mochkovitch, dans un élan explicatif style « physique amusante » à l'Institut d'astrophysique de Paris, a montré un jour devant un amphithéâtre médusé à quoi pouvait ressembler ce phénomène de rebond. S'emparant audacieusement de deux boules de caoutchouc, une grosse bleue et une petite jaune, il les tient en main, la jaune plaquée au-dessus de la bleue. Elles tombent toutes deux. Parvenant ensemble sur le sol, la boule jaune rebondit à une hauteur imprévue, tandis que la bleue décolle à peine. La bleue, c'est un peu la jetée sur laquelle rebondit la vague, le cœur interne, sorte de boule très chaude, véritable conglomérat de neutrons. La jaune bondissante symbolise la vague énergétique, déferlant dans le cœur externe, affrontant à contre-courant la matière qui continue d'imploser. Dans cette rencontre de titans, la vague échauffe le cœur externe. Les noyaux de fer s'y brisent sous les coups de boutoir de photons massues. Les protons, redevenus libres, se précipitent pour dévorer les électrons. Lors de cette capture électronique, naissent de nouveaux neutrinos. La vague remonte toujours plus haut. Elle traverse des couches de matière de moins en moins denses. Soudain, cette densité « tombe » à moins d'1 million de tonnes par centimètre cube. Alors, les neutrinos retrouvent leur liberté. La matière leur est redevenue transparente. En moins de dix millièmes de seconde, un torrent de neutrinos d'une luminosité totale 300 milliards de milliards de fois plus intense que celle de notre Soleil sont crachés dans le cosmos.

Marquons, ici, une petite pause car tout est allé si vite.

Compression, pluie de fer, choc en retour, affrontement énergie-matière... Pourtant, il faut bien le comprendre, à ce stade, nous n'en sommes pas encore tout à fait à l'explosion de l'étoile. Nous n'en sommes qu'à son ébauche. A la tentative de l'onde de choc de disséminer dans l'espace la matière qui lui tombe sur la tête. Pour bien saisir tout ce qui se passe en un tel moment, de façon parfaitement exacte, « il nous faudrait faire de l'hydrodynamique, prendre en compte tout ce qui est mouvement généralisé de fluides, explique Robert Mochkovitch. Mais l'accumulation des processus physiques qu'il convient de gérer en même temps » complique les analyses. « C'est un puzzle aux pièces assez simples mais en nombre gigantesque. » Résultat, malgré tout ce qui a été dit précédemment, les calculs réalisés sur les plus gros ordinateurs actuels ne permettent pas de faire « exploser les étoiles ». En tout cas, pas de manière assez convaincante pour toute la communauté scientifique. La compréhension connaît encore des limites.

Ce qui n'empêche pas les scientifiques d'élaborer divers scénarios, même s'ils restent encore approximatifs. La question clé tourne autour de la puissance de la vague émergente. Va-t-elle ou non faire véritablement exploser l'étoile ? De nombreuses raisons peuvent en fait saper son énergie, et faire avorter la supernova. L'une d'elles, fort compréhensible, est la masse du cœur de fer externe. Plus la matière déferlante est abondante, plus elle casse la vague. Autre facteur de ramollissement, la fameuse capture des électrons. Leur disparition entraîne une baisse de pression qui affaiblit l'onde de choc. Sans parler de l'hémorragie de neutrinos qui pompe l'énergie. Une hémorragie qui n'est pas sans donner de sueurs froides aux physiciens. La façon dont ils restent piégés jusqu'à ce que la matière leur redevienne transparente n'est pas simple à décrire. C'est même une « sale affaire », ironise Jean-Pierre Chièze, du Commissariat à l'énergie atomique. Pour expliquer certains phénomènes, il a fallu, selon lui, « tirer sur les paramètres de façon parfois malséante ». Bref, le fameux « transport des neutrinos », comme l'appellent les spécialistes, influence dramatiquement l'aboutissement des calculs.

Et pourtant, c'est un fait, certaines étoiles explosent bel et bien. Supernova 1987A en est l'exemple éclatant. Les physiciens n'ont aucune échappatoire. Il leur faut affiner leurs modèles. Certains n'ont pas hésité à faire appel à Einstein et à sa Relativité générale pour aiguiser la finesse du scénario, habituellement traité en théorie classique (newtonienne) de la gravitation. Alliant cette sauce moderne à une description encore plus fine du cœur interne (des neutrons dans un drôle d'état), ces audacieux disent voir l'explosion survenir quelques dizaines de millisecondes après la naissance de l'onde de choc. Ce qu'ils appellent «explosion prompte» de supernova. Mais il y a encore plus fort, si l'on peut dire. Même si l'onde de choc a perdu de sa puissance, tout espoir d'explosion n'est pas perdu. C'est que les fameux neutrinos, au comportement si difficile à décrire, sont venus mettre leur piquant dans la sauce. Jim Wilson, du laboratoire Lawrence Livermore en Californie, est à l'origine de l'hypothèse baptisée explosion retardée. Alors que l'onde de choc devient moribonde, un lent réchauffement — lent signifie ici une seconde — pourrait avoir lieu derrière le front de choc, dû à la dissipation d'énergie par les neutrinos. Qu'un millième seulement de leur énergie soit absorbé par l'onde, et celle-ci renaît à la vie. Elle aurait alors assez de force pour envoyer balader dans l'espace une étoile 11 à 50 fois plus massive que notre Soleil.

Tout ce qui a été dit précédemment est encore à l'heure actuelle un des sujets «chauds» de l'astrophysique. Normal. Nous sommes plongés au cœur même de l'explosion. Et si le profane voit dans les oppositions entre «prompte» et «retardée» un art subtil de couper les cheveux en quatre, qu'il songe à la magie révélée de certains films au ralenti. Une goutte de lait rebondit sur une plaque chauffante, une abeille bat lentement des ailes, un joueur de golf percute sa balle en centaines d'images successives, une balle fait éclater une pomme... Voici la balle de profil, elle file tout droit, touche la peau, la perce, pénètre le fruit, disparaît par ici, réapparaît par là, des lambeaux de peau se décollent en une collerette virevoltante, de petits bouts de fruit se détachent, la balle sort du champ de vision, la pomme est en mille morceaux. La caméra rapide a fait voir l'invisible. Elle a détaillé pour notre rétine lente, comme pataude — et notre plaisir —, la multitude des événements successifs. A leur manière, nos théoriciens ne font pas autre chose. Leurs équations décomposent les phénomènes. Qu'un spécialiste d'images de synthèse mette son nez dans leurs petits secrets, et vous verrez bientôt sur écran comment palpitent les entrailles d'une supernova. En attendant, à coups de papiers spécialisés et de colloques intensifs, les théoriciens pratiquent une joute intellectuelle de bon aloi. Avec une pincée d'affect. La preuve, Robert Mochkovitch, qui s'est rendu à l'été 1988 à Baltimore lors d'un des grands congrès de l'UAI, m'a confié à cette occasion : «Je n'aime pas l'idée du rebond " mou ". Cette idée selon laquelle les neutrinos ne s'échappent pas, patientent avant de redonner un peu d'énergie pour le rebond. Dans la *prompt explosion*, ça pète tout de suite. C'est ce que je préfère. Une étoile, ça doit exploser, ça doit exploser tout de suite ! » En deçà des calculs de physique mathématique, faudrait-il sonder les cerveaux et les cœurs des théoriciens ? Histoire d'y découvrir quelle « idée » ils se font *a priori* de ce que doit être une « bonne » explosion. Les programmes informatiques qui gèrent cette physique de l'explosion sont des monstres avalables seulement par les plus gros ordinateurs. Ceux des laboratoires spécialisés dans les bombes atomiques, Lawrence Livermore californien, Commissariat à l'énergie atomique français... Et encore, plaisante Lodewijk Woltjer, « attelés à leur tâche de simulation mathématique, les ordinateurs les plus puissants, de types différents, auxquels on a fait avaler les mêmes données, fournissent parfois des réponses différentes ». C'est dire les incertitudes qui planent encore sur cet embrasement stellaire. Le puzzle est gigantesque, pourtant, il faut lui adjoindre de nouvelles pièces. Ainsi, font remarquer certains spécialistes, pendant longtemps, on n'a pas vraiment pris en compte des effets aussi importants que les champs magnétiques ou la rotation des objets impliqués. Aujourd'hui, on s'acharne à rattraper ces paramètres perdus.

Que les théoriciens passent leur temps à raffiner les modèles, c'est le propre même de l'analyse scientifique. La question est de savoir si la supernova de Shelton — une étoile qui a explosé pour de bon, elle — a satisfait son monde. La réponse est, sans équivoque, un formidable oui. La moisson d'IMB et de Kamiokande s'est révélée conforme aux prédictions. Dans ses tout premiers instants, la supernova a magistralement relâché sous forme de neutrinos la presque totalité de l'énergie gravitationnelle dégagée par l'effondrement. 99 % de toute l'énergie de la supernova, a-t-on estimé. Si impressionnés que nous puissions être, nous, simples humains, par l'apparition d'une lueur brillante dans le ciel, il faut nous rendre à l'évidence des scientifiques : une supernova comme 1987A est avant tout un « événement neutrinique ». Les anges de la matière se taillent là le tout premier rôle. Les quelques particules piégées dans les détecteurs enterrés ont bel et bien montré que 1987A a émis une quantité phénoménale d'énergie : « entre cent et mille fois ce que notre Soleil aura rayonné en lumière pendant toute sa vie ». Une énergie égale à trois fois 10 puissance 53 ergs, autrement dit un chiffre suivi de 53 zéros, comme le stipulaient les calculs théoriques... A côté, tous nos stocks terrestres de bombes atomiques ne semblent que pétards mouillés.

Les neutrinos ont même fait plus. Leur énergie, mesurée grâce aux détecteurs, a permis de « vérifier » la température formidable régnant au cœur de la supernova : 150 milliards de degrés. Un chiffre en accord avec le scénario théorique cité précédemment. Une température sans commune mesure ni avec nous ni avec le reste du cosmos. « C'est le cœur de l'enfer, l'endroit le plus chaud de l'univers », m'ont déclaré un jour Michel Cassé et Nicolas Prantzos, l'air tout guilleret devant un café fumant. Mais notre histoire n'est pas terminée. Mieux, elle ne fait que commencer, ou presque. A cet instant, seuls les neutrinos, ces passe-murailles, ont signalé au reste de l'univers qu'une explosion de supernova vient de commencer. Avec une précision surprenante, à quelques secondes près, ils ont l'insigne mérite de dater l'événement imprévisible du cosmos.

De fait, personne encore n'a véritablement « vu » l'explosion. Les photons, gamma, X ou visibles, n'ont pas pris leur envol vers les télescopes. Ils sont encore piégés au cœur de la matière. Ils n'apparaîtront que plus tard, émergeant de la peau de la supernova. C'est effectivement ce qui s'est passé avec la supernova de Shelton. Les neutrinos ont atteint les détecteurs terrestres avant que la supernova soit visible. Poursuivons le récit.

L'onde de choc continue de remonter avec une fantastique énergie des profondeurs de l'étoile. Après avoir brisé le fer, elle rencontre les fameuses pelures de l'oignon. Le silicium d'abord. Sa température grimpe en une fraction de seconde à plusieurs milliards de degrés et les noyaux fusionnent. De nouveaux noyaux lourds se forment, titane, vanadium, chrome, manganèse, nickel (plus lourd que le fer). L'étoile, autrefois, avait forgé la matière sous de nouvelles formes. La supernova amplifie le phénomène. La voilà créatrice de nouveaux éléments, dans ce que l'on nomme « combustion thermonucléaire explosive ».

L'onde de choc poursuit sa route. Elle frappe les couches d'oxygène et de magnésium, provoque leur fusion, donne naissance à du silicium, du soufre, du chlore, de l'argon ; elle frappe le carbone et le néon, et fait naître du sodium et de l'aluminium ; elle frappe l'hélium et l'azote, et apparaissent de nouveaux isotopes de l'azote et de l'oxygène, que l'étoile dans sa vie antérieure, plus « douce », n'avait pu synthétiser.

Enfin, la vague atteint l'enveloppe d'hydrogène. Brutalement, elle la chauffe à son tour et un intense rayonnement apparaît. Un flash de rayons X de quelques minutes s'évade dans l'univers. C'est le premier message de la supernova en forme de photons. Il n'a malheureusement pas été détecté pour 1987A et cela se comprend fort bien. Tout comme pour les télescopes optiques, il aurait fallu qu'un astronome ait la curieuse idée de faire pointer très précisément un détecteur vers l'étoile Sanduleak, au moment voulu. Or, les télescopes X sont des engins très spéciaux. Ils sont installés à bord de satellites, en orbite au-dessus de notre atmosphère, qui absorbe le rayonnement X. Pour bien faire leur travail, ils doivent regarder exactement l'objet à examiner, car les photons X ne pénètrent dans le détecteur que par de minces fentes. Il y avait bien peu de chances pour que l'un d'eux regarde au bon endroit pendant un temps aussi court.

Mais, et c'est là l'important pour nous, êtres humains aux yeux adaptés à certaines longueurs d'onde, la supernova commence aussi à rayonner dans le visible. La « peau » de la supernova, dopée par l'onde de choc, devient lumineuse. Entraînée par la vague, comme toutes les couches internes précédentes, elle commence à se dilater. En se dilatant, elle ne cesse de faire croître la luminosité totale de l'astre en explosion. Sur Terre, les télescopes optiques commencent à recevoir la pluie des photons lumineux, de plus en plus abondante. A l'œil nu, l'étoile en mortel éclatement est apparue.

Au fur et à mesure que jours, semaines, mois passent, la matière se répand dans l'espace, se refroidit et devient « transparente » aux photons. Les rayonnements caractéristiques, nés des multiples désintégrations radioactives d'éléments créés dans l'étoile oignon — avant et après l'explosion — peuvent enfin s'échapper dans le cosmos. Les détecteurs sont prêts, attendant leurs « signatures » caractéristiques. C'est d'elles que parlaient déjà les spécialistes au « thé de la supernova ». Dès le lendemain de la découverte, fin février 1987, les observatoires chiliens avaient enregistré les raies caractéristiques de l'hydrogène, typiques d'une supernova de type II. On voyait clairement rayonner la peau de 1987A. Six mois plus tard, au mois d'août 1987, on pouvait déjà capter le reflet de ses couches internes, les rayonnements caractéristiques de la pelure d'oignon « la plus profonde ». Des ballons et le satellite Solar Max ont repéré leurs photons gamma. Ceux-ci, comme on s'y attendait, étaient la signature de la désintégration du cobalt en fer, ce cobalt étant lui-même fils du nickel, forgé dans les tout premiers instants de l'explosion.

Tout cela, la théorie l'avait prévu. Mais c'était la première fois, comme pour les neutrinos, que l'expérience le confirmait. Jamais, jusque-là, on n'avait pu suivre en direct les désintégrations intenses

105

venues du cœur (ou presque) d'une supernova. Un an plus tard, à la mi-août 1988 à Baltimore, la découverte des « gammas du cobalt » continuait d'enchanter les spécialistes. Car il y avait un petit hic. Leur détection avait eu lieu beaucoup plus tôt que prévu ! On ne pensait pas qu'une supernova livrerait aussi vite les secrets de ses entrailles, que les rayonnements internes trouveraient si vite le chemin de la surface. L'astrophysicienne du CEA, Catherine Cesarsky résumait ainsi la situation : « Ce rayonnement dur est arrivé beaucoup trop tôt. Mais on parvient quand même à se l'expliquer. Apparemment, il y a eu de très fortes turbulences dynamiques et un mélange important du cobalt à l'intérieur de l'étoile. » En clair, le bel oignon aux régulières pelures en avait pris un sacré coup lors de l'explosion. L'onde de choc aurait brassé la matière, dans de gigantesques tourbillons. Le cobalt ne serait pas sagement resté dans les tréfonds de l'étoile, il aurait quelque peu grimpé vers la surface. Une autre hypothèse a même été émise pour expliquer cette détection rapide : l'étoile n'aurait pas explosé de façon « symétrique », comme une belle sphère majestueuse, mais asymétrique, déformant les couches de matière.

Mais ce ne fut pas, on s'en souvient peut-être, la seule surprise réservée par la supernova de Shelton. Les théoriciens, qui, depuis plusieurs années, avaient basé leurs calculs sur l'explosion d'une supergéante rouge d'environ 25 masses solaires, n'ont pas compris immédiatement certains mystères de 1987A : la relativement « faible » luminosité à ses débuts, environ vingt fois moins intense que ne l'aurait laissé entendre la théorie ; sa remontée ultérieure en luminosité pendant quatre-vingts jours ; la très grande vitesse des couches superficielles, trois ou quatre fois plus rapide que prévu, suivie d'un ralentissement tout aussi surprenant...

Depuis, tout s'est arrangé. Dans les calculs théoriques d'une étoile modèle — une supergéante rouge gigantesque —, la vague prenait son temps pour parvenir aux couches superficielles de l'étoile. Les théoriciens ne « faisaient » rayonner la supernova dans le visible que plusieurs jours après les tout débuts de l'explosion, marqués par la bouffée de neutrinos. Il fallait compter le temps passé par l'onde de choc à rejoindre, puis traverser la lointaine et gigantesque enveloppe d'hydrogène, à plus de 20 milliards de kilomètres du cœur de l'étoile. Sanduleak 69-202 a joué un bon tour aux scientifiques. Cette étoile-mère n'était pas la supergéante rouge des scénarios classiques. C'était une supergéante bleue, bien moins grande, d'ailleurs, que ne le laisserait supposer cette appellation. Massive — 20 masses solaires — mais rayonnant comme

200 000 Soleils, elle était beaucoup moins étendue qu'une super-géante rouge « classique ». Ce « progéniteur » spécial a suscité les plus rudes controverses chez les théoriciens. Pourquoi l'étoile-mère était-elle donc bleue ? Nous n'allons pas ici entrer dans les détails de ce conflit théorique. Mais on peut dire que l'explication repose sur deux types d'hypothèses. Selon la première, l'étoile Sanduleak 69-202 aurait perdu avant sa mort une partie de sa masse externe, processus qui lui aurait conféré sa nouvelle couleur. Effectivement, au mois de mai 1987, des observations ont montré qu'une sorte de coquille de matière enrichie en azote s'éloignait du centre de la supernova, à plusieurs années-lumière. Une coquille témoin de la perte de masse. Une deuxième hypothèse, qui peut d'ailleurs se combiner avec la première, tient pour importante la composition chimique de l'étoile-mère. On sait ainsi que le Grand Nuage de Magellan ne contient pas autant de métaux que notre Galaxie. L'étoile née dans ce coin d'univers aurait peut-être brûlé ses constituants avec moins d'énergie que ne le font les étoiles des modèles. Résultat, elle n'aurait pas eu la puissance de repousser ses couches de matière pour devenir une classique géante rouge. Quoi qu'il en soit, la supernova de Shelton aura obligé tous les spécialistes d'évolution stellaire à approfondir leurs connaissances.

C'est donc en moins de trois heures (et non en quelques jours comme cela aurait eu lieu pour une supergéante rouge) que l'onde de choc a atteint les couches superficielles de l'étoile. Résultat, l'explosion est devenue visible très vite après la bouffée initiale de neutrinos. Visible mais pas aussi forte que prévu. Normal, c'est la relative petite taille de l'étoile initiale qui a joué en défaveur de la luminosité. Les scientifiques nous disent en effet que l'enveloppe d'une étoile joue le rôle d'un amplificateur de lumière : plus la peau est grande, plus lumineuse est la supernova. Sanduleak 69-202 n'avait pas la majestueuse peau d'une supergéante modèle. 1987A n'est pas devenue l'étoile mystérieuse qu'espéraient les amoureux de Tintin.

En revanche, après une première montée, la luminosité a stagné, pour remonter ensuite lentement pendant plus de deux mois. Le public s'était depuis longtemps désintéressé de la chose, mais les spécialistes, eux, s'en étonnaient chaque jour. Cela aussi, on l'a maintenant compris. Une équipe française, notamment, où l'on compte Richard Schaeffer, Michel Cassé, Sébastien Cahen et Robert Mochkovitch, s'est efforcée de l'expliquer. Dans les premiers jours, la peau de la supernova n'a cessé de se dilater, tout en se refroidissant. Si la dilatation tend à faire augmenter la luminosité, le refroidissement, lui, devrait entraîner sa diminution. Seulement voilà, à ce refroidissement, correspond une transparence toujours accrue de la matière aux rayonnements. Résultat, la luminosité de 1987A est restée constante pendant plusieurs jours. C'est alors qu'un nouveau phénomène est venu prendre le dessus. Dans les tréfonds de l'étoile, régnait depuis les premiers instants la très puissante désintégration nickel-cobalt-fer. Selon les estimations actuelles, la quantité de nickel forgée dans les premiers instants de la supernova aurait atteint 20 000 fois la masse de la Terre... Une source d'énergie intense, ne cessant de relâcher des photons très énergétiques et de chauffer le milieu, comme l'a expliqué à Baltimore Stan Woosley, de l'université de Santa Cruz. Dans les premières semaines, le nickel s'est transformé en cobalt. Les photons relâchés dans les désintégrations n'ont cessé d'échanger leur énergie avec la matière alentour, et l'étoile tout entière s'est mise à rayonner au rythme de cette radioactivité. L'étoile a rayonné de plus en plus fort, pendant deux mois environ. Et puis, les noyaux de nickel ont peu à peu disparu au profit du cobalt, lui-même se désintégrant en fer. L'étoile a perdu peu à peu de sa luminosité, suivant une pente classique de décroissance radioactive. Au bout de six mois, on pouvait même voir directement les photons gamma de cette désintégration.

La « petite » taille de l'étoile a expliqué en outre la vitesse « anormalement » élevée des couches de matière éjectées. L'onde de choc, parvenant très tôt et puissamment dans ces couches externes, leur a donné une forte impulsion à près de 20 000 kilomètres par seconde. Elles ne sont actuellement qu'à quelques « semaines-lumière » de l'explosion, expliquent Thierry Montmerle et Nicolas Prantzos dans leur livre *Soleils éclatés*, et dans quelques années elles rejoindront les couches de matière éjectées par l'étoile durant la dernière phase de sa vie calme. « Ce rattrapage devrait donner naissance, prédisent-ils, à une intense émission radio et optique, qui va ranimer pendant un certain temps la lumière de la supernova. »

Dans le même temps, les couches plus profondes de l'étoile, formées d'éléments plus lourds, ont commencé, elles aussi, à se disperser, à des vitesses estimées à environ 2 000 ou 3 000 kilomètres par seconde. Cette dispersion des éléments après l'explosion gigantesque de l'étoile, voilà un phénomène majeur dans la vie de l'univers. Un de ceux qui expliquent l'immense « intérêt » des supernovae. Comme le dit joliment Hubert Reeves dans son livre *Patience dans l'azur*, « pour engendrer les noyaux lourds, il a fallu créer des lieux de grande chaleur : les creusets stellaires. Mais il faut interrompre la cuisson à temps. Il faut sortir les plats du four ». C'est cette sortie en fanfare, dans une explosion extraordinaire, que fournissent les supernovae. Grâce à elles, le cosmos est ensemencé en éléments nouveaux, ceux que les étoiles avaient lentement créés tout au long de leur vie « calme », et ceux engendrés au dernier moment, lors de l'explosion même. Ces éléments lourds iront enrichir les nuages interstellaires, eux-mêmes donnant naissance à de nouvelles étoiles, et parfois des systèmes planétaires comme le nôtre. Sans les supernovae, nous ne serions pas. Sans la mort des étoiles, aucune vie n'aurait pu éclore.

Il n'y a pas si longtemps que l'on pense ainsi. Jamais les Anciens, qui voyaient dans les rares troubles du ciel — apparition de comètes, étoiles nouvelles — l'annonce de mauvais présages, n'auraient pu imaginer que des « séismes cosmiques » nous aient été aussi bénéfiques. Quant aux scientifiques, il leur a fallu beaucoup de patience — ils y travaillent encore — pour élaborer le scénario complexe des tout débuts de l'univers jusqu'à nous, en passant par les supernovae. Il leur a fallu d'abord se débarrasser de beaucoup de croyances simples et fortes. L'Ordre sortant du Chaos en un instant, l'éternelle impassibilité d'un ciel transcendant. Il leur a fallu, comme je l'ai évoqué précédemment, admettre l'hypothèse d'évolution permanente. Or, une telle révolution mentale n'aurait pu avoir lieu sans les progrès considérables des moyens d'observation.

Pour parvenir à se convaincre d'un monde de perpétuelles transformations — certaines lentes, d'autres soudaines —, l'homme devait d'abord « s'extraire », non seulement de la Terre, mais de son propre système solaire. Même après Copernic, nous annonçant que la Terre n'était plus le centre d'un monde figé sur une sphère, même après Galilée, braquant le premier sa lunette grossissante sur Jupiter et ses satellites, l'esprit humain n'était pas encore prêt à franchir un tel pas. Que voit-on, après tout, dans notre système solaire ? Une sage ronde de planètes autour d'un astre brillant. Un système qui a, lui aussi, toutes les apparences de l'éternité. Ultérieurement, quand les progrès des télescopes firent voir des myriades d'étoiles, et leurs regroupements en un nombre gigantesque de galaxies et amas de galaxies, rien non plus n'obligeait forcément à penser en termes d'évolution. Pourquoi l'univers tout entier, si immense soit-il, n'aurait-il pas été créé, tel, en un instant magique ? Ici, notre Soleil et notre Lune, là-bas Alpha du Centaure, le Nuage de Magellan ou la Nébuleuse du Crabe. Le

Grand Créateur des Occidentaux, tout bien pesé, aurait peut-être eu besoin d'un peu plus de six jours pour mener à bien sa tâche. Mais, après tout, à un Omnipotent, rien ne devrait être impossible. Pour franchir véritablement le pas, il ne fallut rien de moins que l'une des découvertes les plus fondamentales de ce siècle, celle de l'expansion de l'univers. Expansion qui devait conduire à ce que nous connaissons désormais sous le nom de « Big Bang ».

Isaac Asimov, dans son livre *Ces Soleils qui explosent*, explique que tout a commencé avec « l'astronome américain Vesto Melvin Slipher : en 1912, il enregistra le spectre d'Andromède (on ne savait pas encore que c'était une galaxie). Ce spectre lui permit de déterminer qu'Andromède se rapprochait de nous à une vitesse avoisinant les 200 kilomètres à la seconde ». Comment parvint-il à un tel résultat ? En observant que les raies du spectre — correspondant donc à certaines compositions chimiques — présentent un décalage de leurs longueurs d'onde. Cet effet particulier sur la lumière, tous les astronomes le connaissent parfaitement aujourd'hui, c'est « l'effet Doppler-Fizeau ». Les profanes le connaissent aussi, sans toujours s'en rendre compte. Quiconque circulant en voiture, ayant été rattrapé puis dépassé par une voiture de pompiers, a clairement remarqué que le fameux « pin-pom » semblait d'abord devenir plus aigu, puis plus grave. A cela, une explication scientifique : le véhicule des pompiers, en mouvement par rapport à l'automobiliste, émet des ondes sonores qui montent en fréquence (sons plus aigus) quand les pompiers se rapprochent, puis baissent en fréquence (sons plus graves) quand ils s'éloignent. Le phénomène est identique pour la lumière. Un objet lumineux se rapprochant de nous monte en fréquence (les ondes lumineuses glissent vers le violet), s'il s'éloigne il baisse en fréquence (décalage vers le rouge). Slipher, pour Andromède, observe justement un décalage vers le violet. Dès la fin du siècle dernier, d'autres astronomes avaient effectué de telles mesures sur des étoiles. Mais Slipher continue, lui, d'étudier les galaxies. Sur quatorze qu'il observe, une seule s'approche de nous, comme Andromède, et toutes les autres s'éloignent à des vitesses très grandes. Un autre astronome poursuit le travail sur des centaines de galaxies. Il découvre que « tous les spectres, sans exception, présentent un décalage vers le rouge ». Donc, toutes ces galaxies nous fuient. De surcroît, moins elles sont lumineuses, donc plus lointaines, plus elles nous fuient rapidement.

Cette observation, extrêmement surprenante, est immédiatement analysée par le grand astronome Edwin Hubble, le « père de la cosmologie moderne », selon les scientifiques. Il y voit un phénomène fondamental. Il énonce alors sa fameuse loi, la « loi de Hubble », selon laquelle la vitesse de « récession » des galaxies est proportionnelle à leur distance. (Il y en a bien certaines qui se rapprochent de nous, mais c'est uniquement parce qu'elles font partie, à l'échelle de l'univers, d'un « petit » groupe, d'un amas de galaxies appelé Groupe local, auquel appartient notre Voie Lactée. En toute rigueur, ce sont les « amas de galaxies », et non les galaxies individuelles, qui forment les unités de base de l'univers, se fuyant les unes les autres.) Cette loi, combinée aux équations nouvelles d'Einstein concernant la gravitation, permet, dès les années vingt, d'énoncer que l'univers est en expansion.

Aujourd'hui, un tel énoncé semble banal, quasiment passé dans le domaine public. Il est pourtant totalement révolutionnaire. D'abord, il rompt brutalement avec l'idée d'un univers statique, au sein duquel, à la rigueur, on tolérerait des mouvements « en vase clos », comme celui de notre système solaire. Il fait voler en éclats l'idée d'un univers créé une bonne fois pour toutes, avec tout ce qu'on y voit. Il montre qu'une histoire est en train de se dérouler, où toutes choses changent. Il induit aussi des questions fondamentales. A quoi ressemble cet univers, si vaste déjà, et toujours grandissant. Quelle forme peut-il bien avoir ? Celle d'une sphère, comme le croyaient les Anciens, mais en train de grossir ? (Alors, qu'y aurait-il au-delà, au bord du gouffre ?) Ou bien ressemble-t-il à quelque chose de beaucoup plus complexe, impossible à décrire avec des mots simples, exprimable par de subtiles équations mathématiques... On s'en doute, cette dernière solution est la bonne. Les observations actuelles montrent que, quelle que soit la direction de l'univers que nous observions, il y a, partout, des galaxies, réparties avec la même densité. Où que l'on regarde, le panorama est le même. Vu depuis notre petite planète, le ciel est isotrope, il est identique dans toutes les directions. Nous serions tentés, une fois encore, d'y voir une sphère gigantesque, homogène, avec nous au centre, tranquillement assis derrière nos détecteurs. « Évidemment, quand une telle chose apparaît », explique Jean-Marie Souriau, professeur à l'université de Provence, dans son livre passionnant, *la Symétrie aujourd'hui*, « un petit signal d'alarme doit sonner dans la tête des gens : " Pourquoi centré sur nous ? " Peut-être certaines personnes souhaitent-elles que nous soyons le centre de l'univers, mais avec un peu de modestie, on se dit : " Ce ne doit être qu'une apparence " ». C'en est une, effectivement. Si notre planète, au lieu d'orbiter autour de notre Soleil

111

dans notre galaxie, faisait sa ronde autour d'une étoile d'un lointain amas de galaxies, les observations seraient les mêmes.

Donc, pour s'imaginer la forme de l'univers, il faut envisager un espace qui apparaisse comme identique pour tous les objets qui le peuplent. Clairement, la sphère n'est pas la solution. Seuls, des « objets mathématiques » plus raffinés, mais difficiles à percevoir par la simple intuition, donnent une solution. « En gros, il y a trois solutions », explique Jean-Marie Souriau. L'une correspond à la géométrie d'Euclide, une deuxième à celle de Lobatchevski. La troisième, « un peu plus étonnante », correspond à la géométrie de Riemann, « pour laquelle l'univers est fini » ; fini sans avoir de « forme proprement dite. Un univers qui a un volume déterminé, mais qui n'a pas de frontières ». Le sens commun, on le voit, est un peu malmené. Mais — le profane doit au moins se persuader de cela — pour comprendre en profondeur les phénomènes de la nature, l'homme n'a rien trouvé de mieux que le langage mathématique. Les « lois de la nature » sont énoncées en langage mathématique. Pour certaines, assez simples, comme la loi d'Archimède par exemple, il est possible de trouver les mots correspondants, « qui parlent » au sens commun. Pour d'autres questions, plus complexes, seules les équations recèlent la vraie « vérité ». Frustrant, mais éloquent. Une bonne fois pour toutes, dans certaines situations, il faut accepter d'en finir avec des représentations simples. Ce qui ne doit pas empêcher, à défaut de « tout » saisir, de suivre la logique du raisonnement. Ici, ce qu'il faut comprendre est la chose suivante : l'univers est un espace « mettant sur un pied d'égalité tous les objets, nous compris ».

Mais revenons au concept d'expansion. Avec lui, une réelle rupture vient de se produire. Cette rupture nous montre que l'univers de demain sera plus vaste que celui d'aujourd'hui. Que celui d'aujourd'hui est plus vaste que celui d'hier. Et avant-hier alors ? Si, au fil du temps que nous connaissons, l'univers s'agrandit, *a fortiori*, en remontant le temps, « en passant le film à l'envers », comme dit Asimov, il rapetisse. Toute sa matière se reconcentre. Si l'on pousse le raisonnement jusqu'au bout, il doit bien y avoir un moment où toute la matière se trouve totalement réunie dans un espace extrêmement restreint. Nous voilà revenus par un simple raisonnement à ce qui ressemble fortement à un « début » de l'univers.

Non seulement notre univers n'est pas statique, mais il semble se voir doté d'un commencement, d'un instant « créateur ». Inutile de dire qu'il faut manipuler une telle notion avec grande prudence.

La physique actuelle n'est pas encore totalement en mesure de parler de ce qui s'est passé à un éventuel « instant zéro ». Si tant est que cette notion ait véritablement un sens. Cela étant, le phénomène d'expansion oblige à penser cette remontée dans le temps, qui conduit à imaginer une véritable « histoire » de l'univers. La cosmologie n'est pas autre chose que l'étude de cette histoire.

En 1922, Alexander Alexandrovitch Fridemann, un mathématicien russe, est le premier à émettre une théorie mathématique envisageant l'univers en expansion. En 1927, c'est au tour d'un astronome belge célèbre, Georges Lemaître, chanoine de surcroît, de proposer une théorie similaire. Selon lui, toute la matière de l'univers était concentrée, au commencement des temps, dans un infime volume, une sorte d'« œuf cosmique ». Et puis, soudain, Bang ! Toute la matière s'échappe violemment dans un accouchement explosif. Une supernova, à côté, n'est qu'un pet anecdotique.

Dans les années quarante, le physicien américain George Gamow popularise définitivement cette idée d'œuf cosmique en expansion. On se doute qu'une telle théorie a rencontré un certain nombre d'oppositions. Ainsi, à cette époque, l'un des cadres théoriques admis dans les études cosmologiques, cadre que l'on doit, entre autres, à l'astrophysicien britannique Fred Hoyle, décrit un univers statique, à l'équilibre, plus exactement stationnaire *(Steady State),* donc sans expansion aucune. Dans ces années, Hoyle et beaucoup d'autres scientifiques sont très opposés à cette idée d'expansion cosmique, consécutive à une grande déflagration initiale.

Cette hypothèse de « l'état stationnaire » qui, au lieu de « créer » la matière tout d'un coup, postule la création continue d'hydrogène à travers tout l'univers, nous semble aujourd'hui curieuse, mais le plus piquant dans cette affaire tient à la désignation de la nouvelle théorie, celle de l'expansion. Interrogé sur cette dernière, à la BBC, Fred Hoyle, par dérision et moquerie, lance le mot de « Big Bang » et, à son corps défendant, il baptise définitivement avec un grand génie publicitaire, tout à fait involontaire, la théorie du « Grand Boum ».

Quiconque s'intéresse un peu à l'univers n'a pu échapper à cette image forte, qui résonne directement en nous comme une explosion primordiale. D'après les calculs, l'heureux événement remonte à environ quinze milliards d'années. Non seulement notre univers actuel n'a pas toujours été, mais on sait son âge. Cela ne résout pas pour autant de nombreuses questions cruciales. A quoi ressemble cet univers des premiers instants ? Peut-on y voir déjà les structures actuelles que les astronomes observent dans les télescopes ? Possède-t-il les éléments que nous connaissons aujourd'hui, ceux qui nous entourent sur notre globe terrestre, ceux qui façonnent notre corps ?

La réponse est bien évidemment non. Mais, cela encore, on ne l'a pas compris tout de suite, même avec l'hypothèse du Big Bang. Gamow lui-même a cru, au démarrage de sa théorie, que tous les noyaux d'atomes, de l'hydrogène le plus léger à l'uranium très lourd, s'étaient formés là, dans ces tout premiers instants. On a démontré depuis que ce n'était pas possible. Et pour donner une description plausible des débuts de l'univers, il a fallu les successions de découvertes de la physique des hautes énergies, celle qui ausculte les tréfonds de la matière.

Autant le dire tout de suite, les tout premiers instants, ceux qui correspondent à une fraction de seconde extrêmement petite (un chiffre situé après une virgule et 34 zéros), a fortiori le « temps zéro » lui-même, sont encore terriblement difficiles à comprendre et à décrire. L'univers est alors infiniment petit, à des températures infiniment élevées. On s'efforce notamment d'imaginer comment les différentes interactions connues de nous aujourd'hui pouvaient se comporter dans un tel univers. Aujourd'hui, on parle de force (ou d'interaction) nucléaire forte (liant les noyaux d'atomes), de force nucléaire faible (transformant les neutrons en protons avec émission d'électrons et de neutrinos), de force électromagnétique (faisant se repousser des charges électriques de même signe et s'attirer des charges opposées), de force gravitationnelle (qui fit tomber la pomme sur la tête de Newton). Dans ces tout premiers instants, elles auraient pu, selon les physiciens, ne former qu'une seule et même entité. Ultérieurement, avec l'expansion et le refroidissement, celle-ci aurait pris des visages divers, se serait scindée en quatre forces différentes. C'est cette « réunification » des forces de l'univers que tentent les théories dites de « grande unification », évoquées dans un chapitre précédent. Bien sûr, des expériences ont été menées pour vérifier ces théories. Elles ont même donné l'un des résultats les plus éclatants de la physique des particules contemporaine. Deux des forces (l'interaction faible et l'interaction électromagnétique) ont pu être ainsi « réunifiées », en force électro-faible. Une expérience célèbre dans les accélérateurs de particules du CERN, menée par les physiciens Van der Meer et Rubbia (tous deux prix Nobel depuis), mettant en jeu de colossales énergies, a permis d'avoir la preuve expérimentale de ce caractère unifié, quand la matière est soumise à des conditions extrêmes. (Ils ont découvert le désormais fameux « boson W », particule responsable de l'interaction électro-faible.) Quoi qu'il en soit, et aussi beau que soit ce résultat récent, il reste encore à réunifier les autres forces. Et là, l'effort théorique devra être sans précédent. Il faudra tenter la synthèse entre les deux grandes théories du xxᵉ siècle : la Relativité générale d'Einstein et la Mécanique quantique. Actuellement, ces deux théories sembleraient plutôt aux antipodes l'une de l'autre. La première s'adresse à l'univers infiniment grand : elle donne la vision « moderne » de la gravitation, qui « mène » le cosmos actuel, dans toute sa vaste étendue, sur des masses gigantesques, de galaxies, d'amas ou super-amas de galaxies. La deuxième concerne l'infiniment petit. Toutes les expériences actuelles des physiciens des particules sont analysées grâce aux principes de la mécanique quantique. Mais, à l'échelle de l'univers, les effets quantiques semblent négligeables.

Or, si les cosmologistes veulent vraiment parler des tout débuts de l'univers, de ce temps où la matière était confinée dans un minuscule œuf cosmique, force sera, pour eux aussi, d'employer les principes quantiques. Clairement, il faudra parvenir à une astucieuse combinaison de ce que dit la Relativité générale d'une part, la physique quantique d'autre part. Cette nouvelle physique, synthèse des deux, s'appelle déjà, pour les théoriciens qui s'y sont attelés, Gravitation quantique. Elle requiert des analyses mathématiques de très haut vol, et un esprit « physique » extrêmement pénétrant. Ces dernières années, une effervescence particulière a saisi de nombreux laboratoires, avec l'introduction de nouveaux objets mathématico-physiques indispensables à une telle théorie synthétique (notamment ceux que l'on a baptisés super-cordes). Je n'entrerai pas dans le détail d'explications difficiles. Je me bornerai, en revanche, à donner un bref aperçu des questions fondamentales (à peu près compréhensibles) sur lesquelles peuvent buter les théoriciens. Rappelons d'abord les apports nouveaux de la Relativité. Avec le sens commun, nous parlons de façon apparemment simple de l'espace et du temps. Notre environnement nous a habitués à mesurer des chemins avec des décamètres, à mesurer le temps d'une émission télévisée sur le cadran de la montre. Dans l'univers « classique », celui de Galilée et de Newton, celui aussi que tout un chacun croit de bonne foi observer, l'espace et le temps sont des entités indépendantes l'une de l'autre. Espace et temps sont des sortes d'absolus au sein desquels la scène de l'univers semble petit à petit dévider ses péripéties. Avec Einstein, les physiciens et astrophysiciens ont compris que cette représentation pouvait peut-être continuer à servir pour notre quotidien — en bonne approximation — mais qu'en réalité, ce n'était pas aussi simple que cela.

Espace et temps ne sont pas les décors fixes d'une pièce appelée « histoire de l'Univers ». Ils sont la structure même de cet univers, indissolublement liés à sa matière et à sa lumière. Et ils sont indissolublement liés entre eux, contrairement à la représentation classique, dans laquelle ils sont indépendants. Le terme de « relativité » est devenu incroyablement populaire, mais il n'est pas sûr qu'il ait été réellement compris. Sans entrer dans le détail de longues explications, j'aimerais simplement rappeler que le terme « relatif » s'oppose à la vision « absolue » des temps et espace classiques, où les mesures de durées et de longueurs sont identiques pour n'importe quel observateur. Ce que nous dit la relativité, c'est que pour un observateur en mouvement, les durées et les longueurs dépendent de la vitesse qui l'anime. Pour des vitesses faibles, les mesures reviennent quasiment au même avec les équations d'Einstein ou les équations classiques. En revanche, dès que l'on considère des vitesses très grandes, qui se rapprochent de la vitesse de la lumière — vitesse maximale de tout signal —, alors les « effets relativistes » se font sentir : les durées se font plus courtes, les longueurs plus longues. Ces effets sont maintenant couramment observés dans les accélérateurs, où les particules approchent la vitesse de la lumière, ou encore dans les horloges atomiques qui, embarquées à bord d'avions rapides, rythment le temps moins vite que des horloges sur terre. Dans l'univers, les effets relativistes ont été reconnus partout. Notamment dans l'élasticité du temps en présence d'énormes quantités de matière : ainsi, le temps s'écoule moins vite près du Soleil que près de notre Terre.

Temps et espace élastiques, indissolublement liés à la matière, n'ont plus l'air, direz-vous, de poser trop de problèmes aux physiciens ou astrophysiciens (s'ils en posent encore au commun des mortels). Où est le problème ? Dans notre immense univers actuel, sur lequel on poursuit des observations sans relâche, admettons qu'il n'y ait plus vraiment de problème. En revanche, que se passe-t-il dans un univers incroyablement petit, où les forces « s'unifiant », il faut jouer avec la gravitation, à très petite échelle ? Il faut faire appel à la mécanique quantique, dont les lois font tout autant fi de notre « bon sens », que celles qui régissent la Relativité. Règne en particulier le « principe d'indétermination de Heisenberg » selon lequel on ne saurait décrire totalement, avec une précision aussi bonne que l'on veut, l'état de cet univers (par exemple, un ensemble de particules). On ne dit plus, comme dans le monde « classique » : telle particule est ici, animée de telle vitesse. On dit qu'il existe une probabilité de présence de la particule, animée d'une certaine vitesse. Ainsi, dans l'atome, les électrons ne forment pas une succession d'orbites parfaitement définies mais un « nuage » flou, dont on parle en termes de probabilités.

Mais alors, si on parle de la matière en termes de probabilités, force est de parler dans les mêmes termes de l'espace-temps, indissolublement lié à elle. Que signifie donc un espace-temps vu en termes de probabilités ? Quelque chose comme des « grains » d'espace-temps... De tels concepts, évidemment, semblent à des années-lumière de nos schémas habituels de pensée.

L'espace-temps de l'univers infiniment grand était peut-être élastique, mais il avait le bon goût d'être continu. Dans l'univers microscopique, il se disloque, part en charpie. Les physiciens usent d'une belle image, du Boris Vian ou presque : la géométrie de l'espace-temps fait penser à un océan. Vu de loin (dans l'infiniment grand), il ressemble à une grande surface lisse, vu de près (dans l'infiniment petit) c'est une sorte d' « écume ». Dans l'œuf cosmique, l'espace-temps n'est plus qu'une écume...

Évoquer un instant « zéro » — celui où le grand Tout aurait commencé — dans un tel contexte, montre à quel point le langage simple est présomptueux. Remonter dans le temps semblait une belle balade de l'esprit vers le Début. Malheureusement, une forêt d'inconnues particulièrement épineuses se dresse au bout du chemin...

Les scientifiques, pour l'instant, sont condamnés au débroussaillage. Armés jusqu'aux dents d'équations bien affûtées, ils semblent encore loin des questions si « simples » de la métaphysique : Est-on sorti du Néant ? Et qu'est-ce que ce Néant ? Comment est-on passé de ce « rien » au Tout ? Et pourquoi cela a-t-il eu lieu ? Faut-il y voir le coup de baguette d'une « volonté créatrice », donnant naissance à un « destin » particulier, où l'homme « devait » émerger ? La science, en tant que telle, continuera de tailler sa piste. Mais jamais, au grand jamais, elle ne dira le pourquoi de cette piste. L'idée d'un principe suprême, d'un Dieu créateur — quelle qu'en soit sa représentation —, ne trouvera jamais sa réponse dans ses équations ou ses observations. La science montre et démontre. Elle constate des faits, la présence de forces, de matière, d'espace-temps jouant des coups tordus, de lumière, l'apparition d'étoiles, de galaxies, de planètes, de la vie, de l'homme.

En tant que telle, avec sa méthode « scientifique », elle essaie de cerner au plus juste le scénario majestueux de cette évolution. Mais elle ne nous dira pas si ce scénario était « prévu d'avance », lancé pour parvenir à certaines « fins » particulièrement bouleversantes, comme l'émergence de la conscience chez un animal appelé homme. Récemment, de nombreuses questions de ce genre ont agité les médias, où l'on a beaucoup parlé du fameux « principe anthropique » (l'univers, dès le départ, aurait été gros de l'apparition de l'homme). Ce mélange des genres — science et questions fondamentales de l'homme (d'où viens-je, pourquoi suis-je ?) — trouve curieusement dans les « origines » de l'univers son terreau le plus fertile. Beaucoup ne peuvent s'empêcher de voir dans ces débuts comme un pôle fascinant à réanalyser à la lumière de la métaphysique. Osons le dire, le parallèle semble d'une part simpliste et réducteur, d'autre part dangereux intellectuellement. Simpliste dans la mesure où l'on continuerait à voir dans ce que certains nomment Dieu un principe créateur proche d'un « physicien-mathématicien-biologiste » magique. Dangereux intellectuellement, dans la mesure où une telle réflexion oblige les scientifiques à pratiquer le mélange des genres. En tant que journaliste-médiateur, j'estime indispensable de découpler les domaines : d'une part, le champ des connaissances, sans cesse élargi ; d'autre part, les convictions personnelles. Seule, une grande honnêteté intellectuelle permettra de garder une vision claire de ce qui est connaissance scientifique d'un côté, de ce qui est croyance, conviction, foi de l'autre. Que la première étaye les secondes — ou non — est affaire personnelle.

La rigueur est ici d'autant plus indispensable qu'il est facile de jouer sur l'ignorance et les termes abscons ou ambigus (Big Bang, quarks, relativité, forces...). La magie des mots, le pouvoir de l'inconnu, l'immense, l'incompréhensible seront toujours gigantesques. Mieux vaut les approcher avec simplicité et humilité, sans prétendre à « l'explication totale ». D'autant plus qu'il faut se faire une raison : la science ne nous dira jamais pourquoi nous sommes. Elle ne pourra, au mieux, qu'affiner ses scénarios : comment et quand — historiquement — l'homme a fini par « être » (c'est le champ scientifique des paléontologues et des biologistes). Comment et quand, à « l'apparition » de chaque nouvel humain, émerge la conscience (champ scientifique des neurobiologistes et des chercheurs en sciences cognitives). Que l'on s'extasie sur de tels « miracles », qu'on veuille absolument leur donner un sens n'est plus du ressort de la science, pourtant fournisseuse d'histoires extraordinaires...

La science moderne, c'est un fait, nous raconte des choses de plus en plus étranges. Ainsi, la mécanique quantique, toujours elle, nous fait voir autrement certains « riens » tout à fait intéressants. Elle nous dit par exemple que le vide est autre chose qu'un néant ne pouvant engendrer que le néant. Ce néant improductif n'a, pour elle, pas de sens. Ce qu'elle connaît, c'est un vide bien particulier, le « vide quantique », d'où la matière peut émerger. De ce vide peuvent à tout instant, et sans que l'on sache quand, surgir des paires de particules-antiparticules, qui, en se recombinant, s'annihilent à nouveau. Oh, bien sûr, il faut y regarder de près. Les paires bondissantes sont aussi vite reparties qu'arrivées. Elles ne vivent qu'une fraction de seconde (égale à 1 précédé de 21 zéros après la virgule). Mais il peut arriver qu'elles ne s'annihilent pas, que la matière parte « d'un côté », l'anti-matière d'un autre, sous l'effet d'un champ de forces. Le vide quantique est « potentiellement » gros d'un univers de matière et lumière. Y aurait-il eu, aux tout débuts de l'univers, une fluctuation particulièrement forte de ce vide quantique, de ce faux Néant ?

L'hypothèse d'une création symétrique matière/anti-matière ne manque pas de soulever de gros problèmes. Celui de l'anti-matière est un casse-tête de premier choix. De très nombreuses expériences dans les accélérateurs de particules ont permis de créer ces particules, aux caractéristiques quantiques opposées à celles des particules de matière. Elles ne sont pas un objet de science-fiction particulièrement osé, elles sont une réalité du monde physique. Ainsi, un photon énergétique qui disparaît peut, par exemple, faire naître un électron et un positron (son anti-particule). La création simultanée de matière et d'anti-matière est aujourd'hui chose courante. De nombreux scientifiques américains en sont même parvenus au point de réclamer des crédits pour maîtriser, « domestiquer » l'anti-matière, qui deviendrait ainsi un éventuel « carburant », plus tard, des vaisseaux spatiaux.

Cependant, quand on en revient aux recherches cosmologiques, force est de constater que l'on n'a pas trouvé de grandes quantités d'anti-matière dans l'univers. Quantités que l'on pourrait supposer « égales » à celles de matière. La matière de l'univers aurait-elle « gagné » très tôt devant l'anti-matière, pour des raisons que les théoriciens croient pouvoir donner (dans leur langage, cela s'appelle brisure de symétrie) ? Ou bien notre univers recèlerait-il dans des « strates » encore non découvertes cette anti-matière apparemment déficiente ? La cosmologie n'a pas encore vraiment résolu cette question.

119

Heureusement, elle nous relate bien d'autres choses. Notamment les grandes lignes du scénario universel, à partir de quelques fractions de seconde post Big Bang. Au premier millionième de seconde — ce qui n'est pas beaucoup, convenons-en —, les physiciens estiment que l'univers n'était qu'une purée de quarks. Je n'en ai pas parlé jusqu'à présent, mais depuis une vingtaine d'années, les scientifiques soupçonnent qu'une structure sous-jacente sous-tend les particules des noyaux d'atomes. Protons et neutrons ne seraient pas, contrairement à l'électron par exemple, des particules « élémentaires ». Ils seraient eux-mêmes formés par d'autres particules, s'agglomérant trois par trois, les quarks. Jusqu'à présent, il n'a pas été possible de « voir » directement ces quarks grâce aux accélérateurs de particules. Mais on a perçu indirectement leurs effets. De plus en plus, les théoriciens imaginent qu'il n'est pas possible de « voir » un quark isolément, qu'il n'existe qu'en combinaison avec d'autres quarks. Les quarks n'auraient pu être « libres » que dans un contexte extrême, comme celui des tout débuts de l'univers. Encore se seraient-ils très vite regroupés (au premier millionième de seconde), dès que la température aurait convenablement baissé, pour former protons et neutrons.

Après ce regroupement, la situation nous semble plus facile à comprendre. Jusqu'à la première seconde, bouillonne à grande température un conglomérat d'éléments désormais bien connus de nous : protons, neutrons, électrons, photons, neutrinos. Tout ce petit monde s'agite en tous sens, en particulier les photons qui brisent toutes les tentatives de regroupement des autres. La chaleur trop intense empêche encore la force nucléaire d'agir.

Enfin, l'univers passe le cap de sa première seconde. En expan-

Figure 7. *En utilisant des appareillages de plus en plus puissants comme les accélérateurs de particules, l'homme a découvert des structures de plus en plus intimes au cœur de la matière.*
Petit lexique :
Nucléon : *proton et neutron. L'assemblage des nucléons forme le noyau de l'atome.*
Hadron : *particule soumise à la force nucléaire forte, notamment le proton, le neutron, les mésons (K, Pi...).*
Quarks : *leur assemblage constitue les hadrons.* On en connaît cinq : u *(up = haut),* d *(down = bas),* s *(strange = étrange),* c *(charm = charmé),* b *(beauty = beauté). La théorie en prévoit un sixième :* t *(truth = vérité).*
Lepton : *particule non soumise à la force nucléaire forte.* On en connaît six *(même nombre que les quarks) : électron, muon, tau et les trois neutrinos associés.*

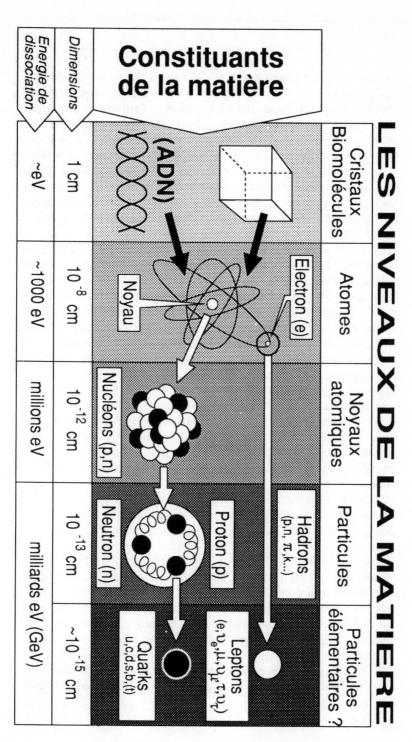

LES NIVEAUX DE LA MATIÈRE

Constituants de la matière

	Cristaux Biomolécules	Atomes	Noyaux atomiques	Particules	Particules élémentaires ?
	(ADN)	Noyau / Électron (e)	Nucléons (p,n)	Hadrons (p,n, π,k...) / Proton (p) / Neutron (n)	Quarks u,c,d,s,b,(t) / Leptons (e,ν_e,μ,ν_μ,τ,ν_τ)
Dimensions	1 cm	10^{-8} cm	10^{-12} cm	10^{-13} cm	$\sim 10^{-15}$ cm
Energie de dissociation	~eV	~1000 eV	millions eV	milliards eV	milliards eV (GeV)

sion, il s'est déjà beaucoup refroidi, un milliard de degrés environ (au centre de la supernova régnait 150 milliards de degrés, rappelons-le). Les photons se sont bien calmés et l'attirance des protons et neutrons commence à prendre le dessus. Ils se regroupent en structures simples de type « un proton, un neutron », noyau que l'on baptise deutéron (noyau de l'élément deutérium, ou hydrogène lourd). De nombreux deutérons se forment, attirant à leur tour de nouveaux protons et neutrons. Ils se regroupent par trois ou quatre, donnant naissance en particulier à l'hélium 4 (deux protons, deux neutrons) ou 3 (deux protons, un neutron), à un peu de lithium 7 (trois protons, quatre neutrons).

A la naissance de la théorie du Big Bang, Gamow avait imaginé qu'en ces moments fertiles, les protons et neutrons poursuivaient leur agrégation jusqu'à former tous les noyaux d'éléments connus. En réalité, cette idée s'est très rapidement heurtée à des constatations expérimentales contradictoires. Les physiciens nucléaires, d'une part ont fait remarquer que les noyaux à cinq ou huit éléments étaient excessivement instables. Ainsi, on n'observe pas de noyau d'hydrogène doté d'un seul proton et quatre neutrons, pas plus que de l'hélium 5 (deux protons, trois neutrons) ou du lithium 5 (trois protons, deux neutrons) stables. Ces empilements semblent voués à une mort extrêmement rapide. Aucun socle stable ne semble donc permettre, dans les conditions de température imaginées pour les premières minutes de l'univers, de construire « simplement » les éléments plus lourds. Il y a comme un raté, comme un trou empêchant la belle construction de se poursuivre.

Autre constatation, venue cette fois des astronomes : les étoiles ne présentent pas exactement la même quantité d'éléments lourds. Pourquoi en serait-il ainsi, si elles s'étaient formées à partir des mêmes éléments de base ? Autre découverte, capitale, que citent Nicolas Prantzos et Thierry Montmerle dans leur livre *Soleils éclatés*, l'observation en 1952 par l'astronome américain Merrill de l'élément technétium (43 protons), à la surface de certaines étoiles. Or, cet élément est instable, il se désintègre par décroissance radioactive et, en moins de quatre millions d'années, disparaît quasiment. Comment un tel élément, bel et bien observé dans le cosmos, aurait-il pu naître voilà quinze milliards d'années et survivre jusqu'à nos jours, contrairement à toutes les prédictions de la physique nucléaire ? Clairement, il a dû se former depuis, avec l'étoile elle-même.

Les astrophysiciens ont dû l'admettre : à ses tout débuts, l'univers n'a su compter ou presque que jusqu'à deux. Lors de la nucléosynthèse initiale sont nés les éléments légers hydrogène (à 75 %) et hélium (à 25 %), les plus abondants, encore aujourd'hui, dans l'univers. En prime, ont émergé quelques traces d'autres éléments légers comme le deutérium, l'hélium 3 ou le lithium 7. Mais il a fallu attendre longtemps, plusieurs centaines de millions d'années, avant que l'univers ne forge des nouveautés. Entretemps, il s'est assez refroidi pour que la force électromagnétique entre en piste. Quand la température atteint quelques milliers de degrés, les photons ont perdu de leur énergie et laissent de nouvelles liaisons s'établir. Les protons positifs se mettent à piéger les petits électrons négatifs. Des atomes se forment, un électron orbitant autour d'un proton par exemple, ou deux électrons autour de deux protons et deux neutrons. Mieux, les combinaisons moléculaires apparaissent, où des atomes se combinent pour donner une structure encore plus stable : la molécule d'hydrogène par exemple (H2) où deux électrons orbitent autour de deux protons adjacents. Comme nous l'avions dit au début de ce livre, les affinités de la nature pour les nombres pairs, souvent synonymes de stabilité, sautent aux yeux.

Avec la naissance des premiers atomes et molécules, l'univers connaît aussi un bouleversement fondamental : la lumière découvre la liberté. Jusqu'alors, les photons n'ont cessé d'interagir avec la matière, d'abord avec les quarks, puis avec les nucléons, ensuite avec les électrons. Une fois ces derniers piégés dans les atomes, la lumière cesse d'être irrémédiablement confinée par d'incessantes absorptions-émissions. Elle peut parcourir l'espace sans heurts. Merveilleux, mais vrai, les astrophysiciens ont retrouvé la trace de cette première lumière, jaillie d'un monde la laissant enfin libre. Ce rayonnement cosmique « fossile » a été détecté pour la première fois en 1964 par les deux Américains Arno Penzias et Robert Wilson. C'est le célèbre rayonnement à 3°K, c'est-à-dire à — 270 degrés Celsius. (K pour Kelvin, échelle absolue de température.) Il s'agit de photons ayant perdu de leur énergie au cours des âges, possédant désormais une basse fréquence (ou une grande longueur d'onde), ce sont des ondes radio.

Au point où nous en sommes du scénario, rien ne nous permet cependant de comprendre où notre planète, notre système solaire, ont trouvé les métaux, le carbone ou l'oxygène nécessaires à leur formation. Où sont le silicium, l'aluminium, le fer ? Nous ne voyons pour l'instant que des éléments légers, à une température relativement froide, qui ne permet pas de réactions nucléaires. De cet océan de fausse légèreté, l'attraction gravitationnelle va faire renaître des îlots de matière, puissamment comprimée, quelques centaines de millions d'années après le Big Bang. Des perturbations locales, dans l'immense gaz d'hydrogène et d'hélium, condensent la matière en amas de dimensions galactiques. En leur sein, des compressions encore plus fortes font jaillir les étoiles. Si la température globale de l'univers ne cesse de décroître, localement, des températures et des pressions ne cessent d'augmenter. Comme je l'ai décrit plus haut, quand la température atteint un seuil, la fusion de l'hydrogène se déclenche. Comme un *remake* apparent des temps primitifs. La ressemblance s'arrête là, car les étoiles, par leur forme et leur durée de vie, modifient le scénario. Elles, au moins, vont savoir compter beaucoup plus loin que deux. En leur sein naît l'hélium qui reste concentré au cœur de l'étoile. Dans ce bain d'hélium pur, pendant des centaines de millions d'années, certains types de collisions ont beaucoup plus de chances d'aboutir que pendant les quelques minutes post Big Bang. Ainsi, trois noyaux d'hélium trouvent leur chance de se combiner pour donner du carbone (six protons, six neutrons), naissance impossible dans le bain originel essentiellement composé d'hydrogène. La suite, nous l'avons décrite dans les chapitres précédents. L'étoile brûle ses réserves jusqu'à ce que mort s'ensuive. Et dans le même temps, naissent les éléments de plus en plus lourds.

Reste à ceux-ci un nécessaire coup d'envoi. Celui des explosions qui les dispersent à travers le cosmos.

Avec 1987A, nous en avons eu un aperçu. Les noyaux intermédiaires entre le carbone et le nickel sont nés en son sein, pour ensuite voler en éclats. D'après les raisonnements précédents, nous avons vu un malheureux cœur de fer s'effondrer, en partie se « neutroniser » (nous reviendrons là-dessus au chapitre sur les pulsars et les trous noirs), en partie se photo-dissocier et un « rebond » gigantesque frapper les couches successives de matière, à nouveau transformées par l'énergie soudaine les percutant.

Dans quelle mesure, lors de la soudaine explosion, des éléments plus lourds que le fer sont-ils créés ? Les scientifiques ne sont pas encore totalement certains de leurs explications. Mais une chose est sûre, ces éléments très lourds existent bel et bien dans la nature, ils sont assez stables pour avoir permis la formation de notre planète. Alors d'où viennent-ils ? Rappelons d'abord quelques notions simples. Le fer a 26 protons et un certain nombre de neutrons (variable selon les isotopes, 32 neutrons par exemple pour le fer 58, isotope stable). Les éléments plus lourds se nomment cobalt, nickel, mais aussi germanium, strontium, platine, or, thorium, uranium, en tout 57 éléments stables, donc repérables... Ces éléments possèdent plus de protons et de neutrons que le fer. L'or a 79 protons, l'uranium 92. L'uranium fait partie de ces éléments extrêmement riches en neutrons (146 neutrons pour l'uranium 238). Comment sont-ils apparus après une évolution « normale » de l'étoile conduisant jusqu'au fer ? Selon les spécialistes de la nucléosynthèse, notamment Jean Audouze, directeur de l'Institut d'astrophysique de Paris, aujourd'hui conseiller pour la recherche auprès du président de la République, la course aux noyaux lourds démarre justement à partir des *starting blocks* que sont les noyaux de fer. Ces derniers commencent par capturer une très grande quantité de neutrons. C'est possible, car les neutrons, particules neutres, ne subissent pas, en s'agrégeant aux noyaux, de répulsion due aux charges électriques, contrairement aux protons, chargés positivement. On imagine ainsi qu'au moment de l'explosion de la supernova, dans des conditions extrêmes de température, des neutrons très nombreux traversent les couches de fer et peuvent s'agglutiner en quelques secondes sur leurs noyaux. Ce processus, rapide, ne peut avoir lieu que si une grande quantité de neutrons est disponible. Un site explosif comme l'explosion d'une supernova de type II semble un bon candidat. En mai 1988, une dépêche d'agence venant de Floride criait victoire : « L'or vient bien des supernovae », estimait le laboratoire d'astrophysique et d'exploration planétaire de l'université de Floride.

Pourtant, les scientifiques demeurent prudents. Tous ne comprennent pas comment l'explosion parvient à fournir pendant assez longtemps les énormes quantités de neutrons nécessaires au processus de capture rapide. (Il existe aussi un processus dit de capture « lente », en quelques milliers d'années, mais nous n'entrerons pas dans ces détails.)

Si cette capture a bien lieu, néanmoins, elle nous permet de comprendre la formation des noyaux lourds. Imaginons que des dizaines de neutrons ont été capturés. Il y a de fortes chances pour que le noyau nouveau soit instable. Il peut perdre à nouveau quelques neutrons. Et, par le phénomène de radioactivité bêta, transformer certains de ses neutrons en protons, tout en relâchant un ou plusieurs électrons et des neutrinos. Ainsi se déclinerait toute la gamme des noyaux. Des supernovae, fruits des transmutations internes, auraient jailli l'or, l'argent, le platine, joyaux tous nés du séisme cosmique. Si, sur Terre, l'abondance de ces matériaux lourds nous paraît énorme, en revanche, à l'échelle du cosmos, elle demeure extrêmement faible. Sur une échelle d'abondances relatives, quand gravitent mille milliards de noyaux d'hydrogène, flottent moins de 8 noyaux d'or, 52 de platine, 17 d'argent... Et pourtant, nous les retrouvons, miraculeusement agglutinés dans nos mines. Il a fallu bien d'autres avatars pour que le cosmos nous les livre.

Après les explosions de supernovae, les nouveaux matériaux se mêlent aux nuages de gaz des galaxies, d'où étaient issues les étoiles-mères. Dans l'hydrogène et l'hélium des origines s'infiltrent ces intéressantes poussières. Ainsi, les nuages interstellaires de notre Voie Lactée se sont constamment enrichis après des millions d'explosions de supernovae : un sur cent de ses atomes actuels est plus lourd que l'hélium.

De ces nuages enrichis, peuvent naître à nouveau des étoiles, enrichies elles aussi en éléments lourds. Notre Soleil fait partie de ces nouvelles venues, et mérite pour cela l'épithète d'étoile de seconde génération. A sa naissance déjà, notre étoile portait en elle l'empreinte des supernovae. Notre Soleil est né, dit-on aujourd'hui, d'un nuage interstellaire en rotation très désordonnée, agité de tourbillons. 99 % de sa masse s'est peu à peu condensée pour donner naissance à l'étoile. Le reste, c'est-à-dire la cohorte des planètes, aurait surgi dans les zones d'intenses tourbillons, où les matériaux de la nébuleuse primitive se seraient concentrés. Ces planètes auraient lentement grossi, dans un combat permanent entre attraction gravitationnelle et tendance à la dissipation.

Une chose est sûre, jamais les planètes n'ont pu atteindre une condensation suffisante de matériaux pour que se déclenche en leur sein la fusion nucléaire, caractéristique des étoiles. Les planètes utilisent autrement leurs ressources. Au départ, estime-t-on, la nébuleuse primitive était à 97 % composée d'hydrogène et d'hélium. « Il pourrait sembler que la petite quantité d'éléments massifs suffise à peine à produire une planète comme la Terre », rappelle Isaac Asimov. En réalité, même s'ils ne représentent que 3 % du total de la nébuleuse, et si la quasi-totalité s'est trouvée confinée dans le Soleil, « l'ensemble des matériaux planétaires gravitant autour du Soleil est égal à 448 masses terrestres » et les 3 % d'éléments massifs permettraient de « construire treize planètes comme la Terre ». Actuellement, on imagine grosso modo le scénario suivant : les métaux (fer, nickel...) s'agrègent avec les roches (des silicates, autrement dit des combinaisons d'aluminium, magnésium, silicium avec de l'oxygène), par le jeu des forces électromagnétiques. Quand la planète a atteint une taille suffisante, la température est suffisamment élevée au centre pour faire fondre les métaux qui s'y concentrent, les roches « flottant » au-dessus. Encore plus en surface, s'amoncellent les glaces, mélange de méthane, ammoniac, eau (ces molécules étant la combinaison d'hydrogène avec le carbone, l'azote, l'oxygène de la nébuleuse primitive). Enfin, la planète est enveloppée d'un nuage gazeux d'hydrogène et d'hélium. Plusieurs planètes se sont ainsi formées. Mais, rapidement, un gros bouleversement est venu affecter leur histoire : le Soleil a fini par s'allumer. Il s'est mis à distiller sa chaleur ainsi que son vent solaire (des milliards de particules lui échappant continuellement). Ces nouveaux effets ont été différemment ressentis selon l'éloignement des planètes. La Terre a perdu son nuage de gaz, a vu fondre la majeure partie de ses glaces. Mais les grosses planètes lointaines, moins sensibles au Soleil, comme Jupiter, Saturne, Uranus ou Neptune, ont conservé leurs enveloppes d'hydrogène et d'hélium.

Plus de quatre milliards et demi d'années se sont écoulées depuis. Voilà cent ou deux cent mille ans, l'homme *sapiens sapiens* a surgi. Depuis quelques décennies seulement, il s'essaye à reconstituer scientifiquement ce long passé. Et déjà, il comprend des phénomènes majeurs de cette histoire, aussi violents que subtils, comme les explosions d'étoiles. C'est à partir des années trente, sous l'impulsion de Fritz Zwicky, que la traque systématique de ce qu'il fut le premier à appeler supernovae a commencé. Et c'est au début des années quarante que la distinction a été faite entre deux classes évoquées dès les premières pages de ce livre : supernovae de type I et II.

J'ai beaucoup insisté là-dessus, car, aux tout premiers temps de 1987A, la vraie nature de cette supernova a immédiatement focalisé l'attention des astronomes. D'une certaine manière, ils semblaient nombreux à espérer de tout cœur voir une supernova de type II. Nous avons compris depuis pourquoi. Les phénomènes sont complexes, plongent au cœur des théories actuelles sur les étoiles. *A priori,* l'explosion rapprochée d'une SNI semblait devoir moins apporter à la connaissance que celle d'une SNII.

Du coup, j'ai laissé ces « type I » de côté (fig. 3). Pourtant, elles existent aussi : statistiquement, il semble que notre Galaxie enfante autant les premières que les secondes. Et, pour le profane, les « I » ne sont pas moins exotiques que les « II ». Surtout, nous dit un scientifique comme Lodewijk Woltjer : « Les supernovae de type I pourraient être à l'origine de la presque totalité du fer de l'univers.» Ne serait-ce qu'à cause de cette affirmation, elles méritent bien un petit détour.

Leur observation est déjà étonnante : quand on traque ces objets brillants au télescope, on n'y observe en effet aucune trace ou presque d'hydrogène. Surprenant, dans un univers essentiellement composé de cet élément. C'est dire que l'objet à l'origine de l'explosion doit être passablement spécial. On y voit en revanche beaucoup de fer, et les traces des combustions explosives du carbone, du néon, de l'oxygène. De fait, nous avons déjà rencontré dans le récit des étoiles pauvres en hydrogène, mais riches en carbone, en oxygène et en néon. Il s'agit des naines blanches, ces étranges astres quantiques destinés à une fin sans éclat. Seulement voilà, comment expliquer que ces pauvres cadavres stellaires se réveillent de leur mort lente pour violemment exploser ?

C'est en 1960 que les deux célèbres astrophysiciens Fred Hoyle et William Fowler ont proposé la première réponse convaincante à ce casse-tête. La naine blanche ne peut s'en sortir seule. Elle a besoin d'un compagnon. D'un compagnon à dévorer. Qu'il faille un couple pour obtenir une fin aussi tragique ne doit pas nous étonner. La propension à aller par deux, au royaume des étoiles, n'est pas une singularité, mais une quasi-règle. On estime aujourd'hui que près de 70 % des étoiles forment des systèmes dits « binaires », voire des systèmes plus complexes. C'est la solitude qui nous étonnerait presque, comme celle de notre Soleil.

Ainsi, deux étoiles gravitent l'une autour de l'autre dans le cosmos. Initialement, imagine-t-on, il s'agit de deux étoiles de masse « intermédiaire », environ deux à sept fois la masse du Soleil. La plus massive évoluant le plus vite, elle se transforme avant sa consœur en géante rouge. S'étendant spectaculairement dans l'espace, sa matière commence à rejoindre l'étoile sœur. Rapidement, son cœur devient une naine blanche, alors que le compagnon, gavé de matière, ne cesse de gonfler. C'est à son tour de devenir géante, répandant son hydrogène alentour. La petite naine blanche, compacte, l'attire irrésistiblement. L'hydrogène se met peu à peu en orbite, formant un disque d'accrétion autour de l'astre quantique. Et, lentement, il se met à spiraler vers la surface. Il s'accumule, terriblement comprimé par l'attraction formidable de la naine blanche, résidu extrêmement compact. Puis l'hydrogène se réchauffe au point d'entrer en fusion. Que l'accumulation se poursuive et c'est brusquement l'ensemble du disque d'accrétion qui s'embrase : une « nova » vient de lancer son intense éclair lumineux à travers le cosmos.

Mais l'accumulation d'hydrogène peut conduire à l'autre phénomène, celui de supernova. Que la naine blanche soit proche de la masse de Chandrasekhar, et tout bascule. La pression de dégénérescence des électrons ne peut plus contenir la formidable attraction gravitationnelle. Au centre de la naine blanche, la densité est énorme, mille fois supérieure aux étoiles « normales », à leurs derniers stades d'évolution. Plus que jamais, l'astre se met à vivre au rythme des phénomènes quantiques. Dans le gaz dégénéré d'électrons, les réactions nucléaires ne suivent pas les mêmes règles que dans un plasma « classique ». Les noyaux de carbone, enveloppés de chapelets d'électrons, ne ressentent pas la même répulsion électrostatique que dans les étoiles habituelles. Ils se mettent beaucoup plus vite à fusionner, dès que la température dépasse cent millions de degrés. Surtout, le soudain flot énergétique relâché par les fusions multiples ne peut obliger le gaz dégénéré ni à augmenter sa pression ni à se dilater (c'est la caractéristique d'un gaz dégénéré). Simplement, ce dernier se réchauffe de plus en plus. Et plus il est chaud, plus les réactions nucléaires s'emballent. Elles se succèdent à un rythme effréné, jusqu'à former le nickel 56 (déjà entrevu dans la supernova 1987A). En un instant — quelques centièmes de seconde —, « la température centrale passe de quelques centaines de millions à quelques milliards de degrés », expliquent Thierry Montmerle et Nicolas Prantzos. A des températures telles, le phénomène de dégénérescence est lui-même quelque peu ébranlé. Brusquement, la pression, jusqu'alors parfaitement indépendante de la température, y redevient sensible. Elle cherche à se « réajuster » et augmente brutalement, faisant jaillir un front de déflagration à travers l'étoile. (Rappelons qu'une déflagration est une combustion à vitesse inférieure à celle du son. A vitesse supersonique, il y a détonation.) Celui-ci remonte de plus en plus vite du cœur de l'étoile vers les couches supérieures. Derrière l'onde de déflagration, la matière ne cesse de fusionner. L'onde remonte jusqu'en surface où, la température ayant beaucoup diminué, le carbone et l'oxygène originels de la naine blanche ne brûlent plus. Trois ou quatre secondes seulement se sont écoulées. L'énergie des réactions nucléaires a été énorme. Elle a produit une gigantesque masse de nickel, et presque tout le reste a servi à faire « sauter » l'étoile. La naine blanche est entièrement détruite, tous ses composants s'envolent à grande vitesse à travers l'espace.

Et dans l'univers jaillit une énorme lueur : pendant quelques jours rayonnent l'équivalent de dix à vingt milliards de soleils. Une luminosité nettement plus forte que celle des supernovae de type II. On s'explique ainsi le phénomène : le nickel, produit en masse gigantesque (peut-être 60 % de la masse du Soleil), se désintègre rapidement en cobalt. Les milliards de milliards de photons gamma (très énergétiques) nés de ces désintégrations s'échappent et ne cessent de percuter les couches de matière en expansion. Petit à petit, leur énergie se répartit et des milliards de photons lumineux partent en tous sens. Ce sont eux que nos yeux et nos télescopes continuent de traquer. Ce sont eux que, vraisemblablement, Johannes Kepler en 1604 et Tycho Brahe en 1572 ont vus.

Chapitre 10

Les supernovae d'autrefois

Événement du siècle. Chance fabuleuse. Aubaine incroyable. Dès l'apparition de la supernova de Shelton, les superlatifs ont connu une véritable inflation chez les scientifiques. « Il y aura désormais l'astrophysique d'avant la supernova, et l'astrophysique d'après », s'enthousiasmait le théoricien Michel Cassé. Pour l'éventuel public de nos latitudes, l'événement eut cependant un goût amer : la fulgurante lueur n'était visible que de l'hémisphère Sud. Malgré tout, il en aura peut-être retenu une chose : elle était visible à l'œil nu.

Dans le ciel immuable à nos simples yeux, une lumière nouvelle s'est allumée pour quelques semaines. Un tel phénomène a toujours frappé l'esprit des hommes. Du moins ceux qui ont accordé quelque importance au cosmos.

Très tôt, les Chinois ont été de ceux-là. Le ciel fut pour eux la source de messages destinés aux humains. Tout ce qui pouvait y advenir de nouveau était interprété comme présage. Au niveau le plus élevé de la société chinoise, tout proches de l'empereur, des astrologues officiels étaient chargés de recueillir ces signes du ciel. Et gare aux désastres qui n'avaient pas été prédits ! Les astrologues pouvaient y perdre non seulement leur place mais leur vie.

Deux Britanniques, Clark et Stephenson, ont, dès 1977, consacré un livre *(Historical Supernovae)* à cette observation des lueurs imprévues du ciel, consignées par les hommes. Ils ont plongé dans les archives chinoises qui s'étendent sur plus de deux mille ans d'observation des cieux. Ils y ont recherché les événements correspondant le mieux à l'idée scientifique actuelle que l'on se fait des supernovae. Un événement long, la lumière de

l'explosion se prolongeant un ou plusieurs mois, due au rayonnement de la « peau » de l'étoile ou alimentée par les désintégrations
radioactives des couches internes de la supernova.

Ainsi, la lueur venue des supernovae dure plus longtemps que
celle des novae, embrasement ponctuel d'une partie d'une étoile,
événement abondamment observé par les Chinois. Selon les deux
Britanniques, les Chinois auraient donc consigné huit supernovae
« sûres », toutes de notre ère : en 185, 386, 393, 1006, 1054, 1181,
1572 et 1604 après J.-C.

S'il s'agit pour nous d'explosions, de morts d'étoiles, il n'était
pas possible aux Anciens d'imaginer un tel phénomène. Pour les
Chinois, ces lueurs brillantes furent des « étoiles-hôtes ». Des
« étoiles invitées », qui venaient faire un tour sur la scène pour
repartir quelque temps après. Les trois premières d'entre elles
n'ont pas frappé les Européens. Soit parce qu'elles n'étaient pas
vraiment visibles depuis l'hémisphère Nord, soit parce que l'Europe d'alors semblait fort occupée à d'autres tâches que la surveil-
lance attentive du ciel.

Mais avec la lueur de 1006, réellement extraordinaire, « aussi
brillante qu'un quart de lune », le phénomène supernova semble
faire son entrée sur la scène mondiale. Il est rapporté aussi bien
par les Chinois, que les Arabes ou les Européens. Pour les premiers, qui virent la lueur dès le 1er mai 1006, elle fut un bénéfique
symbole. « (...) Cette étoile est en réalité une étoile chou-po, de
couleur jaune et resplendissante de lumière. Le pays où on peut la
voir connaîtra la prospérité, car il s'agit d'une étoile de bon
augure. » Pour Alî Ibn Ridwân, elle fut l'occasion d'une description très scientifique de sa position, dans le signe zodiacal du
Scorpion. Mais l'apparition de la lueur coïncida avec des calamités
qui durèrent plusieurs années. La conjoncture ne semblait pas plus
favorable en Europe où sévissait la guerre contre les Sarrazins. Des
moines bénédictins du monastère Saint-Gall, près du lac de
Constance, ont parfaitement noté cette nouvelle venue, avec la
respectueuse crainte et fascination caractérisant les rapporteurs de
l'époque : « Une nouvelle étoile, de taille inhabituelle, est apparue,
scintillante et éblouissant les yeux, alarmant la population. »
Rétrospectivement, les scientifiques ne doutent pas qu'il s'est agi
de l'explosion, particulièrement intense, d'une étoile de notre
Galaxie (donc très proche à l'échelle cosmique).

Quelques décennies plus tard, le 4 juillet 1054, l'excitation
reprend de plus belle. A 2 heures du matin, c'est dans la Constellation du Taureau qu'une étoile-hôte est apparue. « Elle était visible

en plein jour, comme Vénus », écrit alors le directeur du bureau astronomique impérial chinois. « Elle pointait ses rayons dans toutes les directions et sa couleur était rouge et blanche. Elle fut visible pendant vingt-trois jours et, après plus d'un an, elle disparut progressivement du ciel. » Pas moins de cinq textes chinois et trois japonais évoquent cette apparition. Mais l'Europe semble cette fois être restée aveugle à ce signe du ciel.

Il faudra attendre l'ère de la Renaissance pour que l'observation des supernovae touche enfin des yeux véritablement scientifiques. Et cette vision-là, soucieuse de précision dans la position de l'étoile, dans la description de son éclat (sa « courbe de lumière », dirait-on aujourd'hui), c'est au grand astronome danois Tycho Brahe qu'on la doit. Jeune, il étudie le droit, mais observant à quatorze ans une éclipse de Soleil, il se consacre ensuite à l'astronomie. La petite histoire nous décrit un jeune homme fougueux, au nez coupé lors d'un duel, qui porte par la suite une prothèse d'or et d'argent. L'histoire des sciences, elle, garde de Tycho l'image d'un véritable révolutionnaire de l'observation « prétélescopique ». Sa passion de la précision lui fait concevoir de nouveaux instruments et obtenir du roi Frédéric II de Danemark la construction d'un observatoire sur l'île de Hveen.

Le 11 novembre 1572, le jeune homme, alors âgé de vingt-six ans, quitte le laboratoire de chimie (d'alchimie) de son oncle. Le ciel, nuageux les jours précédents, vient enfin de se dégager. C'est alors qu'il remarque une étoile, assez haute dans le ciel, jamais vue auparavant. Elle se trouve dans Cassiopée et par son éclat dépasse toutes les autres. Il ne sait que les Chinois l'ont aperçue, eux aussi, trois nuits auparavant, comme ils ont vu d'autres étoiles-hôtes, quelques siècles plus tôt. « Quand je fus convaincu qu'aucune étoile n'avait jamais brillé de la sorte auparavant, écrit Tycho, je trouvai la chose tellement incroyable que je me mis à douter de mes propres yeux. » Effectivement, Tycho interroge toutes les personnes qui l'entourent, pour avoir confirmation de son étrange vision. Il se décide alors à consigner tout ce qui concerne cette nouvelle venue, forme, couleur, éclat. Tycho l'observe en tout pendant 485 jours. Il s'aperçoit, en particulier, que cet astre ne bouge pas de position. Une constatation en totale contradiction avec la vision aristotélicienne d'un ciel immuable. En effet, cette immobilité implique, selon Tycho, que la lueur ne peut être proche de la Terre (« dans la région des Éléments »), où les phénomènes atmosphériques sont mobiles (rappelons qu'à l'époque, on pensait les comètes proches de la Terre pour cette raison).

Elle ne peut non plus appartenir à l'orbite des sept planètes (les « étoiles errantes ») connues alors. Il faut donc la situer dans la « huitième sphère, parmi les étoiles fixes ». La lueur soudaine est une étoile à part entière, une « nouvelle » étoile.

En 1573, Tycho publie un ouvrage en latin consacré à cette étonnante découverte, intitulé *De nova stella* (« A propos de la nouvelle étoile »). Nul besoin de préciser que le livre fait sensation. Il oblige à abandonner les principes d'immuabilité et de perfection des cieux. Trente ans après la publication par Copernic de son *De revolutionibus orbium celestium,* donnant une vision héliocentrique (centrée sur le Soleil) de notre système planétaire, l'ancienne vision des cieux est plus que jamais ébranlée. Un nouveau mot vient de surgir dans le langage astronomique : nova, nom que porteront désormais toutes les étoiles nouvelles observées dans le ciel.

La dernière supernova, très visible à l'œil nu, est celle de 1604. La supernova de Kepler, comme on l'appelle désormais (bien que les Chinois, une fois encore, aient parfaitement enregistré le phénomène), apparaît dans la constellation d'Ophiuchus. Johannes Kepler a travaillé avec Tycho Brahe. Reprenant les observations du Danois, ce scientifique hors pair a proposé, le premier, une description exacte du système solaire, où les planètes décrivent des orbites elliptiques (et non plus circulaires) autour du Soleil. En 1604, alors même qu'il travaille à ses lois, lois révolutionnaires pour l'astronomie, une étoile nouvelle est repérée en Italie. Kepler en est averti et mène une minutieuse observation, en compagnie d'un autre astronome, Johannes Fabricius, suivant les principes rigoureux de Tycho, mort trois ans plus tôt. La nova stella brille pendant un an avant de disparaître. Une fois encore, le caractère changeant des cieux vient d'être confirmé.

Trois cent quatre-vingt-trois ans plus tard, la supernova de Shelton est la digne sœur de cette prestigieuse lignée. Mais, entre-temps, ont eu lieu plusieurs révolutions successives, dont elle a bénéficié. En premier, celle des moyens d'observation. En 1610, six petites années après l'apparition de la supernova de Kepler, Galilée est le premier à se servir d'un télescope. Ensuite, les télescopes vont connaître des perfectionnements importants et, à la fin du siècle dernier, c'est avec l'un des instruments de ce genre qu'un Français, d'une part, un Allemand, de l'autre, détectent la première supernova, supernova située à la limite de la vision humaine. Observant indépendamment la nébuleuse d'Andromède (on ne savait pas encore que c'était une galaxie, vingt fois plus grande que la nôtre), les deux astronomes y ont repéré un point brillant, inattendu, en août 1885. Baptisée S Andromedae, l'étoile finit par décliner et disparaître en mars 1886. C'était bien une nova stella du type de celles de Tycho ou de Kepler, mais incroyablement plus éloignée. Quand, dans les années vingt, on commence à évaluer avec une bien meilleure précision les distances des objets célestes, on comprend à quel point un objet comme S Andromedae fut intrinsèquement lumineux. On se rend compte qu'à son maximum, cet astre était plusieurs dizaines de milliards de fois plus lumineux que notre Soleil. C'est beaucoup plus que de nombreuses autres lueurs, moins intenses, persistant moins longtemps dans le ciel, que l'on a également aperçues. Ainsi est née la distinction entre novae et supernovae, toutes deux observées depuis l'Antiquité. Les secondes correspondent à un événement stellaire sans commune mesure avec les premières.

Fritz Zwicky, comme nous l'avons déjà signalé, et aussi Walter Baade, ont été à la base de cette découverte. Dès 1934, ils sont les premiers à saisir la véritable nature de ces lueurs extravagantes, explosions gigantesques dont l'énergie dépasse tout ce que l'on connaît des étoiles ordinaires. Ils proposent de surcroît des hypothèses qui, à l'époque, peuvent sembler totalement folles. George Greenstein, dans son livre *le Destin des étoiles*, rappelle « qu'à peine deux années auparavant, le physicien russe Lev Landau avait suggéré l'existence d'une espèce de matière " neutronique " dans le cœur des étoiles ». Le neutron, en tant que particule, venant à peine d'être découvert par James Chadwick ! Baade et Zwicky s'emparent de cette idée et, résolument audacieux, écrivent dans une revue scientifique : « Avec toutes les réserves qui s'imposent, nous émettons l'hypothèse que les supernovae représentent la transition entre les étoiles ordinaires et les étoiles à neutrons, qui, dans leur phase ultime, sont constituées de concentrations extrêmement denses de neutrons. » L'idée sous-tendant ce propos est la suivante : à l'explosion gigantesque d'une supernova correspond un effondrement gigantesque de matière. C'est de cet effondrement, de cette intense compression des particules que pourrait naître, en un instant, au cœur de l'étoile initiale un reste étrange, composé uniquement de neutrons : une étoile à neutrons. Nous allons voir plus loin à quel point cette réflexion est d'actualité.

Quelque « farfelue » que puisse alors sembler cette spéculation théorique, cela n'empêche pas Zwicky de s'accrocher très concrètement au sujet qui lui tient tant à cœur. Grâce aux nouveaux grands télescopes que l'optique sophistiquée permet de bâtir, en particulier au fameux mont Palomar, l'astronome lance un programme de recherche systématique des supernovae. A lui seul, il en découvre 122 sur plus de trois décennies. Et, ces dernières années, de nombreux amateurs, dotés d'instruments de plus en plus raffinés, poursuivent cette inlassable chasse à l'explosion imprévue, invisible à l'œil nu. Près de six cents supernovae ont désormais été détectées dans de lointaines galaxies. Mais, on le comprend facilement, il est rare qu'elles soient vues peu après leur naissance, et leur luminosité, quoique extrêmement forte en soi, n'est que bien maigre pour nos télescopes terrestres, en raison de leur éloignement. Toutes les hypothèses théoriques d'une grande subtilité, exposées plus haut, sont pourtant issues de cette inlassable traque.

La supernova de Shelton, par sa proximité, par son intensité, est venue bombarder d'informations de première classe des chercheurs hypersensibilisés. On comprend leur enthousiasme : grâce aux détecteurs, non seulement de lumière visible, mais de rayonnement invisible (gamma, X, ultraviolet, infrarouge, radio...), ou de particules comme les neutrinos, la supernova de Shelton a livré bien des secrets d'un mécanisme intime du cosmos. Et elle devrait en livrer encore. Car, après l'apparition puis la disparition de la scène cosmique d'une lueur soudaine, l'histoire n'est pas pour autant terminée. Une fois convaincus qu'une supernova était une explosion d'étoile, les astronomes se sont demandé ce qu'il advenait de la matière dispersée. Voire, de l'hypothétique étoile à neutrons proposée par Baade et Zwicky, résidu compact au centre de ce qui avait été une majestueuse étoile. La patiente plongée dans les archives du ciel, des Chinois aux astronomes de la Renaissance en passant par les Arabes, n'était pas qu'un simple souci historique. Elle a permis d'orienter les recherches. Si une étoile a explosé ici ou là, selon les indications données par les Anciens, alors il devient possible d'en retrouver les traces. Logiquement, il doit s'agir de nuages de matière emportés par un mouvement d'expansion. Selon l'ancienneté de l'explosion, selon son intensité, les vitesses seront plus ou moins grandes, la matière plus ou moins concentrée.

En 1941, Baade pointe le grand télescope du mont Wilson, qui domine Los Angeles, dans la direction correspondant à la position de la supernova de Kepler. Il y découvre des sortes de globules et de filaments, formant une nébuleuse proche de l'ex-étoile, morte en 1604. Ultérieurement, on s'aperçoit que ces structures filent à une vitesse beaucoup plus élevée que ce à quoi on pourrait s'attendre dans une nébuleuse ordinaire. Les premiers restes de supernovae viennent d'être découverts.

Au fil des années, se sont succédé les retrouvailles. Baade, encore lui, a montré que la nébuleuse du Crabe était la fille vaporeuse de la supernova de 1054. 95 milliers de milliards de kilomètres de diamètre, en expansion très rapide — 1 500 kilomètres par seconde —, le Crabe ressemble « à une amarante enchevêtrée dans du coton », selon l'Américain George Greenstein. Cet écheveau de filaments orange au sein d'un nuage bleu clair semble le plus beau reste qui soit.

Depuis, on en a reconnu d'autres, correspondant aux supernovae de 1572 (Tycho), de 185, 1006 ou 1181. Mais pour cela, il a fallu tous les progrès des moyens d'investigation, étendus sur l'ensemble du spectre électromagnétique. Ce n'est plus seulement l'optique, mais le rayonnement radio qui nous fait « voir » ces objets célestes particuliers. Comme le détaillent abondamment Thierry Montmerle et Nicolas Prantzos dans leur livre *Soleils éclatés,* la radioastronomie est aujourd'hui le plus gros fournisseur de restes de supernovae : grâce à elle, plus de 135 ont été repérés. A cela, une explication scientifique : alors que de nombreux rayonnements, en particulier la lumière visible, voire les rayons X, finissent par être absorbés par le milieu interstellaire, ses gaz et ses poussières, le rayonnement radio émis par la matière « passe » beaucoup plus facilement. « La Voie Lactée est complètement transparente aux ondes radio », rappellent les deux scientifiques, « celles-ci sont capables de la traverser de part en part, soit sur une distance d'environ 100 000 années-lumière, sans atténuation ». Ainsi se font « entendre » les filaments, globules, voiles, tous enfants dispersés d'une supernova des centaines ou milliers d'années après son explosion.

Pourtant, tout n'a pas été simple à comprendre. La nébuleuse du Crabe, en particulier, n'a cessé d'intriguer les astronomes pendant de nombreuses années. Bien que Baade ait pu l'associer sans aucun doute à l'explosion de 1054, son taux d'expansion (en passant le film « à l'envers ») ne donne pas la date exacte de l'explosion. La matière ne semble pas animée d'une vitesse constante (voire diminuant graduellement au fur et à mesure de sa rencontre avec le milieu interstellaire). La nébuleuse semble au contraire avoir été « accélérée » au cours des temps. Mais par quoi ?

De surcroît, le si joli nuage bleu au télescope semble gavé de particules animées d'une très grande vitesse. Il s'agit d'électrons spiralant sous l'effet du champ magnétique de la nébuleuse, et émettant dans ce mouvement de grandes bouffées de rayonnement. Un phénomène énergétique intense, assez peu compréhensible, plus d'un millénaire après l'explosion proprement dite. La nébuleuse du Crabe est peut-être une superbe voile sur les tréfonds du cosmos, mais elle semble cacher un curieux moteur. Pendant de nombreuses années, le mystère du Crabe a intrigué les astronomes. Finalement, c'est quasiment par hasard qu'il a fini par se dénouer : le « moteur » est bel et bien une étoile à neutrons, comme l'avaient imaginé les théoriciens dans les années trente.

Pour la découvrir, il a fallu une aventure scientifique, digne d'un conte de fées moderne. Tout a commencé en 1967, à l'université de Cambridge. L'astronome britannique Anthony Hewish a décidé de construire un nouveau radiotélescope, capable de déceler la scintillation des ondes radio. Ce que nous connaissons, nous, c'est le scintillement visible des étoiles. Il est dû aux déformations de la lumière, traversant l'atmosphère en perpétuel mouvement. On cherche à s'en affranchir en implantant au mieux les observatoires. Les ondes radio, venues d'émetteurs éloignés du cosmos, sont perturbées, elles aussi, par les particules qu'elles rencontrent sur leur chemin. Ce ne sont pas celles de l'atmosphère, mais celles de l'espace interplanétaire, celles du vent solaire qui les affectent. Impossible de s'en affranchir. Il faut donc mesurer l'effet de scintillation pour voir en quoi il perturbe l'observation et, en l'éliminant par le calcul, espérer mieux connaître la source d'origine.

En été 1967, Hewish charge une de ses étudiantes, Jocelyn Bell, de surveiller les observations du nouveau radiotélescope, spécialement conçu à cet effet. A l'époque, les chercheurs ont décidé d'analyser les données par eux-mêmes et non directement par ordinateur. Et ce, pour se familiariser avec le fonctionnement de leur télescope, tout nouveau. Un mois s'écoule. Chaque jour apporte ses dizaines de mètres d'enregistrement papier. Vers la fin septembre, Jocelyn Bell repère une anomalie dans la multitude des signaux enregistrés. Impossible de comprendre immédiatement de quoi il peut bien s'agir. Dans le doute, elle baptise cette bizarrerie « scruff ». Curieusement, rien de tel ne réapparaît pendant plusieurs semaines. Puis, fin novembre, le « scruff » est de nouveau là, dans les enregistrements. En l'examinant de près, Jocelyn Bell s'aperçoit que le signal est composé d'une série d'impulsions périodiquement espacées. Les impulsions radio se succèdent les unes les autres toutes les secondes un tiers. Très précisément, toutes les 1,3373011 seconde ! Une parfaite régularité qui fait songer à un signal « artificiel » beaucoup plus qu'à une émission « naturelle », généralement beaucoup plus confuse.

Le cœur des chercheurs britanniques commence à battre la chamade. Auraient-ils découvert le signal cosmique envoyé par une intelligence extraterrestre ?

De fait, ce signal radio très régulier fait songer à la lumière d'un phare, balayant périodiquement les rochers d'une côte. Avant de proposer à l'ensemble de la communauté scientifique une explication pour le moins osée — à coup sûr, le premier à repérer des extraterrestres changera l'histoire de notre planète ! — les Britanniques décident de poursuivre leurs enregistrements. Bien leur en prend. Peu après Noël, Jocelyn Bell a fini par repérer trois nouvelles sources émettant des signaux pulsés. L'équipe britannique abandonne définitivement l'hypothèse des petits hommes verts : ce qu'ils viennent de découvrir, c'est véritablement une nouvelle classe d'objets astronomiques. Des étoiles « pulsantes » *(pulsating stars)*, désormais connues sous le nom abrégé de « pulsars ».

Si la supernova de Shelton a polarisé l'attention des astronomes, on n'imagine pas à quel point l'annonce des pulsars a bouleversé leur communauté. Le 9 février 1968, la nouvelle est publiée dans la revue scientifique britannique *Nature*. « Il y eut une ruée démente sur les appareils spéciaux permettant l'observation des pulsars, raconte George Greenstein. Les télescopes furent pris d'assaut. » Surtout, c'est l'occasion d'un réel défi pour les théoriciens : quel peut bien être l'objet émetteur de telles pulsations ? De quelle nature est cette horlogerie cosmique de haute précision ?

Immédiatement, plusieurs hypothèses sont proposées. Toutes, obligatoirement, font appel à ces astres curieux que nous avons déjà rencontrés dans ce livre : les astres quantiques. Certains connus alors, comme les naines blanches. Et ceux, proposés plus de trente ans auparavant mais jamais observés, les étoiles à neutrons. A une échelle différente, ces astres quantiques ont tous deux la propriété d'être très massifs et concentrés dans un rayon très petit. Mieux, plus ils sont massifs, plus ils sont petits. Cette matière très concentrée permet des effets physiques particuliers.

Ainsi certains théoriciens de l'époque voient dans le pulsar deux naines blanches tournant extrêmement vite l'une autour de l'autre, envoyant un signal à chaque tour. Ils y voient encore la possible vibration d'une étoile, qui ne cesserait de se dilater et de se contracter à un rythme incroyablement soutenu, émettant un rayonnement à chaque vibration. Ou encore la rotation d'une étoile sur elle-même. On peut imaginer qu'une petite zone seulement de l'étoile émette le signal radio. On pourrait le capter chaque fois que l'étoile fait un tour. Une fois encore, ce sont des observations approfondies du ciel qui permettent de trancher dans les diverses spéculations.

En octobre 1968, un cinquième pulsar est découvert, dans la constellation de Vela. Ce nouveau venu frappe pour deux raisons. D'abord, il est très rapide, dix fois plus que ceux découverts jusque-là. Ensuite, il se trouve à l'intérieur d'un reste de supernova, dont l'explosion remonte à plusieurs milliers d'années avant notre ère.

En novembre, coup de gong. Cette fois, c'est dans la nébuleuse du Crabe, le reste de la supernova de 1054, qu'un pulsar est tapi. Et celui-là dépasse tous les autres en rapidité : trente impulsions par seconde. Une fréquence incroyable. Qui oblige à abandonner définitivement certaines théories. Jamais deux naines blanches en rotation l'une autour de l'autre ne pourraient tourner aussi vite. Et on ne peut pas les imaginer non plus en rotation sur elles-mêmes : la force centrifuge les ferait éclater. Ce phénomène, nous le connaissons bien. Hitchcock en a fait le ressort dramatique de la fin de son film *l'Inconnu du Nord-Express* : un manège, devenu fou, s'emballe à une telle vitesse que les chevaux de bois finissent par se détacher et voler en tous sens. Notre planète Terre, qui a le bon goût de tourner en vingt-quatre heures, ne pourrait, elle, soutenir une rotation sur elle-même de moins d'une heure et demie. Sinon, elle craquerait à l'équateur et sa matière se disperserait dans l'espace. Tout corps en rotation sur lui-même possède ainsi une vitesse limite au-delà de laquelle il ne peut garder sa matière concentrée. Seules les étoiles à neutrons, d'une matière extrêmement dense et massive, peuvent tourner sur elles-mêmes au rythme du pulsar du Crabe sans voler en éclats.

C'est cette solution qui est retenue. D'autant plus qu'une autre observation expérimentale vient confirmer l'hypothèse. Un mois à peine après la découverte du pulsar du Crabe, on s'aperçoit qu'il clignote plus lentement. Pas beaucoup, bien sûr, mais assez pour que cela soit détectable. Chaque jour, son temps de rotation augmente de 36 milliardièmes de seconde. Le pulsar ralentit.

Dès lors, la vision théorique s'affine. Pour les scientifiques, le pulsar est une étoile à neutrons qui naît au sein de la gigantesque explosion d'une supernova, quand la matière se comprime à des densités insoupçonnées. Né dans la violence, il tourne sur lui-même à une vitesse fantastique. Issu de l'effondrement subit d'une étoile massive, elle-même en rotation, il se met à tourner de plus en plus vite, en se contractant (on connaît cet effet de la « conservation du moment angulaire » : un patineur qui tourne sur lui-

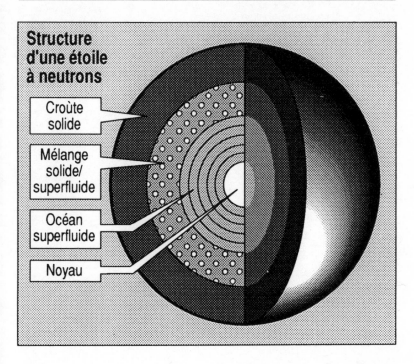

Structure d'une étoile à neutrons

- Croûte solide
- Mélange solide/ superfluide
- Océan superfluide
- Noyau

Figure 8. *Une étoile à neutrons est un étrange objet céleste pour lequel on imagine une structure en couches : une croûte plus dure que l'acier, un mélange de solide et neutrons superfluides, puis un mystérieux océan souterrain de neutrons superfluides, enfin un cœur tout à fait inconnu (peut-être composé de quarks ?).*

même les bras écartés, va de plus en plus vite en ramenant les bras le long du corps, équivalent de la contraction de l'étoile). Bientôt, toute sa masse est comprimée dans un tout petit volume, de 10 à 15 kilomètres de rayon. Pendant ce temps, la matière éjectée de l'étoile commence à se répandre dans le cosmos, donnant naissance à ce que l'on appelle désormais les restes de la supernova. Au fil des centaines, des milliers, des milliards d'années, la vitesse du pulsar se ralentit progressivement, comme le ferait une toupie abandonnée à elle-même. Ainsi, le pulsar du Crabe, né il y a un peu plus de mille ans, tourne à 33 impulsions par seconde. Le pulsar de Vela, dix fois plus vieux, tourne à 10 impulsions par seconde. Les pulsars encore plus anciens, et donc plus lents, sont en définitive les seuls témoins encore repérables d'une très vieille explosion. Pendant ce temps, les restes de matière éjectée se sont complètement confondus avec le milieu interstellaire, et sont devenus indiscernables. On ne voit plus qu'eux.

Mais alors, si cette théorie est juste, un pulsar aurait dû naître dans la supernova de Shelton !

Chapitre 11
Y a-t-il un pulsar dans la supernova ?

18 janvier 1989. A un mois près, les astronomes se préparent à fêter le deuxième anniversaire de la supernova. Depuis sa fulgurante apparition, colloques, séminaires, articles spécialisés n'ont cessé de décortiquer les charmes de la nouvelle venue. Les théoriciens du monde entier ont fait la course intellectuelle aux explications les plus sophistiquées, notamment celles concernant l'étoile « progéniteur », la fameuse Sanduleak. On n'a pas compris tout de suite pourquoi elle était bleue, alors que l'on s'attendait à ce qu'elle fût rouge. Du coup, un déluge de scénarios nouveaux pour étoiles imprévues s'est abattu sur les bureaux des éditeurs scientifiques.

Puis, tous les voiles de la belle ont été retournés pour y découvrir des matériaux nouveaux, preuve du pouvoir créateur d'une supernova. Les télescopes et aussi les satellites ont traqué les clins d'œil évolutifs de cette matière neuve. Et chacun s'est enthousiasmé de découvrir les possibilités planétaires d'observation. Deux ans après l'apparition de SN 1987A, les astrophysiciens et physiciens des particules continuaient d'admirer leurs propres détecteurs de neutrinos, cachés sous les montagnes ou dans des mines. A l'opposé, l'intérêt de la « grande » presse pour la supernova a peu à peu décliné. Jour après jour, l'événement s'est éteint dans la longue nuit des archives de quotidiens, d'hebdomadaires ou de mensuels. Le mot même de supernova, qui, un temps, a excité la curiosité, est retombé dans la cohorte des noms communs vaguement incompris. Ces noms dont on cherche parfois la définition dans le dictionnaire, avec la mauvaise conscience de ceux dont la mémoire défaillante ne parviendra jamais à fixer la définition.

A l'observatoire de Cerro Tololo, sur la cordillère des Andes, les astronomes se préparent à une nuit d'observation sans éclat particulier. Simplement, le plus grand des télescopes — le 4 mètres — a été braqué sur le Nuage de Magellan, dans le cadre d'un programme systématique d'observation de SN 1987A. Ce programme, lancé par différents observatoires, a un objectif déclaré : trouver le pulsar de la supernova.

A Cerro Tololo, comme ailleurs, des systèmes de détection perfectionnés ont dû être mis en place. La supernova continue en effet de dégager une lumière si intense (du moins pour les télescopes) qu'il est difficile de dégager de ce « bruit de fond » les éventuelles pulsations d'une étoile à neutrons. Or, cette nuit, il se passe quelque chose. Il est un peu plus d'1 heure du matin et l'observation doit durer sept heures. Au cœur de la supernova (magnitude 11), un objet faible mais visible (magnitude 19) émet une lumière pulsée. Mieux, sa luminosité augmente graduellement (jusqu'à la magnitude 18). Les données sont extrêmement précises. Le détecteur effectue une mesure tous les 200 millionièmes de seconde, les variations, même très rapides, ne peuvent donc échapper aux astronomes. Toutes les demi-heures, 8 millions de mesures différentes sont ainsi enregistrées sur ordinateur. Que voit le télescope ? Une sorte de phare cosmique, dont le faisceau balaie l'espace à un rythme effarant : 1968 tours à la seconde. Tous les 5 dix millièmes de seconde, un rai de lumière s'engouffre dans le 4 mètres. Pendant sept heures, le phare ne cesse de clignoter. La joie est à son comble. Depuis deux ans, on attendait un signe du cœur de la supernova. Le voilà, enfin.

Pourtant, les problèmes ne font que commencer.

Le 31 janvier suivant, un télescope de Las Campanas, doté du même système de détection que le 4 mètres de Cerro Tololo, ne voit rien. Même échec le 13 février, avec le télescope australien de 2,3 mètres à Siding Springs. Les 14 et 15 février, c'est au tour des Européens de La Silla de scruter le Grand Nuage de Magellan avec leur télescope de 3,6 mètres : pas de pulsar en vue. Les 16, 20, 21 février à Las Campanas, toujours rien.

Alors ? Le pulsar du 18 janvier n'était-il qu'illusion ? Ou bien n'aurait-il fait qu'une brève apparition pour redisparaître ensuite ? C'est l'avis de Richard West, de l'ESO à Munich, qui me confie au téléphone : « Il est possible que le pulsar se soit montré brièvement. Maintenant, il est caché derrière les restes de l'explosion de la supernova. »

L'explication est plausible. Après avoir explosé, l'étoile Sanduleak a éjecté brusquement sa matière alentour. Très dense, cette enveloppe a d'abord masqué tout ce qui aurait pu rester au centre de l'étoile, comme une étoile à neutrons, prévue par les théoriciens. Voilà pourquoi il y a très peu de chances de détecter un pulsar directement, peu de temps après l'explosion. Mais le temps joue en faveur des astronomes. En se répandant peu à peu dans le cosmos, la matière devient moins dense et plus transparente. De surcroît, il n'y a aucune raison pour que cette matière soit homogène. Elle peut donc présenter des zones très denses et opaques et des zones plus légères et fines, faisant songer à des jours dans un tissu. Qu'un de ces « jours » s'interpose entre le cœur de la supernova et nos télescopes, alors il y aura quelque chance de voir le pulsar... s'il existe.

16 mars 1989. L'équipe américaine, au sein de laquelle figurent les observateurs de Cerro Tololo, publie sa découverte dans l'hebdomadaire britannique spécialisé *Nature.* Titre : « Un pulsar optique en dessous de la milliseconde dans la supernova 1987A. » En note, sont signalées les « non-observations » de Siding Springs et Las Campanas. Ainsi va la science. Un observatoire a vu, d'autres n'ont pas vu. Tout doit être dit, le pour, le contre, avec la rigueur voulue. L'article de *Nature,* sur plus de deux pages, donne pour la première fois des détails précis concernant l'événement astronomique de ce début d'année 1989. Des détails qui plongent la communauté scientifique dans une belle perplexité.

D'une part, les quinze scientifiques qui signent l'article ont l'air sûrs de leur fait : ils ont bel et bien observé quelque chose, en cette nuit du 18 janvier. Voici l'une de leurs preuves. Douze minutes après avoir cessé d'observer la supernova, le télescope pointe pendant une demi-heure vers un amas globulaire (autrement dit une zone de matière dense), et ce, de façon à établir une comparaison avec l'enregistrement précédent : aucun signal pulsé n'est détecté. Autrement dit, les données venant de la supernova ne peuvent être considérées comme un artefact dû aux appareillages. Autre preuve : la période de sept heures d'observation ayant été scindée en quinze morceaux arbitraires, d'environ une demi-heure chacun, le signal en provenance du pulsar s'est révélé tout à fait significatif, dans chaque intervalle de temps. Mieux, ces signaux successifs sont beaucoup plus intenses que tout ce qui avait pu être enregistré avant cette nuit du 18 janvier, lors de trente-six tentatives similaires.

Comme l'écrivent noir sur blanc les quinze signataires, les pulsations sont « extrêmement puissantes, et de toute évidence, sont bien réelles ; la question est de savoir si elles trouvent leur origine dans la supernova ou dans les instruments de détection. Elles ne ressemblent à rien de ce qui a été vu dans les 36 expériences menées pendant les deux années précédentes avec les mêmes appareillages : un certain nombre d'artefacts ont été relevés pendant cette période, mais ces pulsations sont d'une intensité et d'un comportement sans précédent ».

Seulement voilà. Si l'émission lumineuse vue cette fameuse nuit est bien celle d'un pulsar, alors il s'agit d'une drôle de bête. « Si l'objet est bien là, on peut dire qu'il est assez monstrueux », s'étonne Robert Mochkovitch, de l'Institut d'astrophysique de Paris. « Ou c'est un objet extraordinaire, ou c'est un canular », renchérit Michel Cassé du Commissariat à l'énergie atomique.

Première surprise : il est trois fois plus rapide que le plus rapide des pulsars connus jusqu'à présent. Les pulsars ont généralement une période de plusieurs dizaines de millisecondes. Quelques-uns vont plus vite, leur période est de l'ordre de la milliseconde. Or, on ne pense pas que ces objets aussi rapides soient seuls. Un compagnon très massif (par exemple un trou noir) leur fournirait l'accélération nécessaire pour atteindre de telles vitesses de rotation. Que penser alors du pulsar de SN1987A qui tourne, lui, en une demi-milliseconde ! En supposant (ce que font les auteurs) que son rayon soit de l'ordre de 10 kilomètres, la vitesse de rotation à la surface atteint 40 % de la vitesse de la lumière. Une vitesse proprement phénoménale. Si phénoménale que l'on ne comprend pas très bien comment cet objet si rapide n'éclate pas, sous l'action de la force centrifuge.

« S'il tourne véritablement aussi vite que le disent les enregistrements, explique Mochkovitch, il va falloir revoir toutes les équations d'état qui gouvernent la matière des étoiles à neutrons. » En d'autres termes, ce que l'on croit savoir aujourd'hui de la matière au sein de ces étoiles doit être revu très attentivement... Ou encore, l'étoile créée par la supernova est d'un type encore jamais observé... Les scientifiques aiment bien les surprises, mais celle-là semble les mettre au pied du mur.

Jusqu'à présent, voilà ce qu'ils proposaient comme image « orthodoxe » d'une étoile à neutrons sans problèmes (ou presque). Un tel objet céleste a une masse raisonnable, de l'ordre de une à une fois et demie la masse du Soleil, certains pouvant peut-être atteindre deux masses solaires. Le rayon serait d'environ dix kilomètres. La densité moyenne d'un tel objet est à peu près celle du noyau atomique, cent millions de tonnes par centimètre cube ou 100 000 milliards de fois la densité de l'eau. Mais cela n'est qu'une représentation très approximative. En réalité, l'étoile à neutrons présenterait, à l'instar de ses consœurs « classiques », une sorte de structure en pelure d'oignon. Mais quel oignon ! Le plus étrange que l'on puisse concevoir ; la physique des particules la plus moderne échoue d'ailleurs à exhaustivement le décrire.

L'idée de base semble pourtant simple : de la surface au cœur de l'étoile, la matière est de plus en plus dense, en couches de plus en plus compressées. Seulement voilà, cette densité croissante s'accompagne de bouleversements radicaux. Au-delà de certaines densités critiques, la matière change complètement de comportement. Pour comprendre cela, on peut faire une analogie avec certains phénomènes quotidiens. Ainsi, nous connaissons les passages de l'eau d'un état à un autre quand la température change. En dessous de 0 degré, c'est la glace : un solide. Au-dessus de 0 degré, elle se transforme en eau proprement dite : du liquide. A 100 degrés, elle devient vapeur d'eau : un gaz. Pourtant, sous toutes ces formes diverses, aux propriétés physiques bien différentes, c'est bien de la même matière qu'il s'agit : un ensemble de molécules d'eau, chacune étant composée d'un atome d'oxygène et de deux atomes d'hydrogène.

Dans l'étoile à neutrons, la matière connaîtrait, elle aussi, des transitions de phase. Elles lui conféreraient sa structure en couches.

A sa surface, à l'instar de notre planète, l'étoile à neutrons posséderait une fine croûte solide. Soumise à une compression « raisonnable » (1 centimètre cube pèse 100 kilos), elle est formée de noyaux de fer, l'élément le plus stable de la nature. Ces noyaux, composés de protons et de neutrons, sont soumis à des forces électromagnétiques répulsives. Les charges électriques positives les forcent alors à s'arranger en réseaux cristallins. L'ensemble ainsi réorganisé flotte dans une mer d'électrons dégénérés, à l'instar de ce que nous avions vu pour les naines blanches.

Mais plus on s'enfonce, plus la compression augmente. Les noyaux et les électrons qui cohabitent dans le solide en surface sont de moins en moins capables de « vivre indépendamment » les uns des autres. Les protons (positifs) des noyaux commencent à faire la chasse aux électrons (négatifs). Ils les absorbent pour donner naissance à un nombre sans cesse croissant de neutrons. Le phénomène de « neutronisation » — dont j'ai déjà parlé lors de l'effondrement de l'étoile sur elle-même — prend de l'ampleur. Les noyaux deviennent de plus en plus riches en neutrons. La

147

croûte solide est de plus en plus « exotique » (les noyaux très riches en neutrons sont baptisés « exotiques » par les physiciens nucléaires).

Mais ce phénomène ne peut durer indéfiniment. Plus on s'enfonce, plus grande est la production de neutrons. Et plus il y a « saturation » des noyaux. Ceux-ci, en effet, ne peuvent posséder un nombre trop grand de neutrons. Ils deviennent instables. Trop « enrichis », ils laissent peu à peu les neutrons « en trop » s'échapper dans le milieu environnant. Comme un fluide, ceux-ci se mettent alors à combler l'espace laissé entre les structures solides. L'étoile des profondeurs commence à se fluidifier. Mais pas n'importe comment ! Le fluide de neutrons qui envahit peu à peu le milieu est tout ce qu'il y a d'étrange : c'est un « superfluide », aux propriétés extraordinaires, dont bien peu de profanes ont entendu parler. Rien d'étonnant à cela. Sur notre planète, les scientifiques ne sont parvenus à recréer qu'un seul superfluide — l'hélium superfluide. Vu l'effort requis, et les conditions d'observation, il y a bien peu de chances pour qu'un non-spécialiste approche la bête en question...

A température ambiante, l'hélium est un gaz. Refroidi à 4 degrés seulement au-dessus du zéro absolu (4 degrés Kelvin, soit − 269 degrés Celsius), il se liquéfie (comme l'eau en dessous de 100 °C). Il s'agit encore d'un fluide « banal ». Mais qu'on le refroidisse encore, en dessous de 2 degrés Kelvin, et il change de comportement : c'est un nouvel état de la matière, un superfluide. Sa caractéristique principale est l'absence totale de viscosité. La viscosité est cette propriété qui a le don d'atténuer les tourbillons d'un fluide. Ainsi, l'eau a une viscosité moyenne : si l'on agite une bouteille d'eau, les tourbillons durent quelques dizaines de secondes puis s'arrêtent. Dans une huile de moteur, beaucoup plus visqueuse, les tourbillons s'arrêtent presque instantanément. Dans l'hélium superfluide, ne possédant aucune viscosité, les tourbillons pourraient se maintenir plusieurs mois. C'est un superfluide de ce genre, neutronique en l'occurrence, qui formerait la plus grande partie de l'étoile à neutrons. A environ 1 kilomètre sous la surface, il commence par se mélanger à la croûte solide, constituée par les noyaux encore capables de subsister. Mais, plus on s'enfonce, plus l'étoile se fluidifie. Les noyaux se désagrègent totalement, seule reste l'étrange soupe de neutrons, occupant presque les neuf dixièmes du volume de l'étoile. Un « véritable océan souterrain », selon l'expression de l'Américain George Greenstein *(le Destin des étoiles)*.

En descendant vers le cœur de l'étoile, la compression devient terrifiante. Chaque centimètre cube pèse désormais 300 à 400 millions de tonnes. Et, en toute rigueur, les astrophysiciens, jusque-là assez sûrs de leur modèle, ne font plus que des spéculations. Pour essayer de comprendre ce qui se passe dans le cœur d'une étoile à neutrons, il faut faire appel aux connaissances les plus pointues de la physique des particules actuelles. Et aussi aux idées les plus audacieuses des théoriciens. Voilà ce qu'ils ont pu imaginer.

Les neutrons, soumis à une extrême compression, commencent à se heurter violemment les uns contre les autres. De ces collisions naissent des gerbes de particules, particules nouvelles que l'on a entrevues ces dernières années dans les accélérateurs terrestres. Au cœur de l'étoile, elles prennent une importance considérable. Plus on s'enfonce, plus les collisions sont fréquentes, plus ces nouvelles particules occupent le terrain. A ces profondeurs de l'étoile, certains théoriciens ont pensé qu'existaient par exemple « des condensats de pions ». Les pions sont des particules éphémères (en moyenne, elles vivent 300 millionièmes de seconde), mais on les a pourtant vues dans les expériences de physique des particules. Dans le milieu étrange de l'étoile à neutrons, ces pions pourraient vivre bien plus longtemps et former un nouvel état de la matière, inconnu de nous. « De fait, on ne croit plus tellement à cette hypothèse, souligne Richard Schaeffer, astrophysicien théoricien du Commissariat à l'énergie atomique. Toutes les expériences (dans des accélérateurs) qui auraient pu permettre de déceler la présence et les propriétés d'un "condensat de pions" ont échoué. »

L'hypothèse que l'on évoque aujourd'hui avec beaucoup plus d'enthousiasme — même si le flou reste total — est celle d'une « mer de quarks ». Ces fameux « quarks » — briques ultimes (jusqu'à nouvel ordre) de la matière — qui auraient pu composer, nous l'avons vu, la soupe primitive des débuts de l'univers. Bien sûr, vouloir décrire un mini-océan de quarks reste très présomptueux. On imagine cependant qu'une telle « mer » ne présenterait ni structure (ce serait une purée indifférenciée) ni « transition de phase ». Autrement dit, quelle que soit la compression de cette purée, elle se contenterait d'être plus ou moins dense, sans qu'il y ait modification radicale de son comportement.

Tous les efforts sont actuellement mis en œuvre pour y voir un peu plus clair. Au CERN à Genève, des expériences de violentes collisions de noyaux sont menées pour tenter de décrire un peu mieux le comportement des quarks. Le problème est immense. A défaut de « voir » directement ces quarks, on essaye de se faire une image, à partir d'autres particules émises, de leur façon d'interagir. Encore faut-il être sûr de la théorie, qui guide les expérimentateurs vers les particules « intéressantes » à regarder. « Le problème, résume Richard Schaeffer, est de caractériser ce que l'on " doit " voir. Et ça, on ne sait pas encore très bien le dire. »

Une seule chose semble sûre : le cœur d'une étoile à neutrons garde tout son mystère ou presque. Voilà pourquoi le pulsar de la supernova — si pulsar il y a — a de quoi exciter les astronomes aussi bien que les physiciens. Mieux connaître cet objet de l'univers, c'est approfondir la connaissance de l'astrophysique, mais aussi de la physique des particules. Or, qu'ont observé nos astronomes, depuis Cerro Tololo ? Un objet incroyablement rapide, dont la matière doit être encore plus comprimée qu'on ne l'avait imaginé, pour compenser l'intense force centrifuge.

« Et si c'était une étoile de quarks ? » lance, mi-sérieux, mi-ironique, Michel Cassé, théoricien du CEA. Une étoile presque entièrement composée de ces structures fondamentales encore si mal connues, une étoile à la densité insoupçonnée. Après tout, les modèles actuels de formation d'une étoile à neutrons, dans l'effondrement d'une étoile et l'explosion en supernova, posent encore bien des problèmes. Ainsi, le fameux « rebond » de la matière sur un cœur très dense n'a pas encore été parfaitement compris (malgré les abondantes explications données au chapitre 9). On ne sait pas de façon certaine sous quelle forme est la matière juste avant l'effondrement. « Aucun modèle actuel n'est parfaitement convaincant, concède Michel Cassé. Si on veut vraiment que l'étoile explose, il faut un rebond plus dur. » Et ce rebond plus dur, on pourrait l'obtenir en admettant que la matière au cœur de l'étoile s'est comprimée au-delà de ce que l'on admet généralement. « La densité de la matière atteint peut-être dix fois la densité nucléaire ! Mais aucun laboratoire terrestre n'a été capable d'aller jusque-là pour nous montrer dans quel état se trouve une matière aussi comprimée. » Dans les laboratoires, on a été jusqu'à présent capable de compresser la matière nucléaire de 5 % au-delà de sa densité normale. Tous les calculs faisant appel à des densités deux fois plus élevées — *a fortiori* dix fois plus élevées ! — ne sont que des extrapolations.

Si étoile de quarks il y avait, l'événement serait effectivement considérable. Jamais un tel objet n'a été observé jusqu'à présent. A la zoologie des astres quantiques — naines blanches, étoiles à neutrons — il faudrait ajouter une nouvelle espèce, encore plus exotique. De la supernova du siècle, serait né un enfant plus fabuleux qu'elle-même. De fait, les théoriciens n'en seraient peut-être pas tout à fait surpris, car leur imagination est presque sans bornes. Oui, certains ont déjà imaginé des « étoiles de quarks ». « A côté des étoiles à neutrons ordinaires, certains ont pensé à des étoiles à " condensats de pions " ou des étoiles à quarks », confirme Richard Schaeffer. Ce qu'il y a de plus étonnant, c'est que leurs propriétés fondamentales les plus simples (obtenues par le calcul), comme « leur rayon ou leur masse, sont relativement peu différentes. En revanche, ces différents modèles diffèrent considérablement sur un point : le refroidissement de l'étoile. Ce refroidissement est beaucoup plus rapide dans les étoiles de pions ou de quarks ».

On n'a jamais vu de telles bêtes, mais on sait déjà comment elles devraient se comporter... Voilà la force des théories. Si le pulsar de 1987A était bel et bien là, et ses surprenantes propriétés confirmées, on saurait déjà comment orienter la recherche sur son évolution. Les observateurs, pour le cas où le pulsar voudrait bien se montrer à nouveau, devraient par exemple surveiller attentivement l'évolution de son rayonnement. Un travail de longue haleine, sur cinq, dix, vingt ans ou plus. Le cosmos sait attendre.

Tout cela, malheureusement, n'est encore que pure spéculation. Car l'observation du 18 janvier, non seulement n'a pas été confirmée, mais éveille de sérieux doutes. Richard Schaeffer, qui a longuement rencontré les signataires de l'article de *Nature,* m'a confié : « C'est un peu de guerre lasse qu'ils ont publié leur article. Après l'observation du 18 janvier, ils ont vraiment espéré une autre observation. » Or, rien n'est venu. Les scientifiques n'aiment pas trop ce genre de situation. Le principe de base des sciences expérimentales est de disposer d' « expériences reproductibles ». Et ce, afin de mesurer et remesurer les paramètres, avant d'avancer un modèle ou une théorie. Ici, le clin d'œil d'une nuit est étrangement isolé. « Vous savez, insiste Schaeffer, on n'a pas beaucoup envie de tout remettre en question après une seule observation. » En l'occurrence, la remise en question concerne les idées les plus pointues concernant la matière.

Comme on l'a dit plus haut, la vitesse de rotation à la surface de l'objet atteint, selon les Américains, 40 % de la vitesse de la lumière. « C'est tellement énorme que l'étoile devrait être complètement déformée, explique Richard Schaeffer. Elle serait ovale, aplatie aux pôles. La moindre irrégularité de surface provoquerait d'intenses ondes gravitationnelles. » Voilà longtemps que je n'en avais entendu parler. Depuis la naissance de la supernova, j'avais perdu de vue ces ondes très particulières. Maintenant, nous pouvons un peu mieux comprendre de quoi il s'agit. Dans la vision de l'univers donnée par la Relativité générale, la présence de matière — une source de gravitation — déforme le tissu élastique de l'espace-temps. Plus la matière est dense, concentrée, plus le tissu est déformé. Mais il faut aller plus loin. Si cette matière concentrée bouge, elle peut induire des ondes dans le tissu. Bien sûr, il y faut certaines conditions très particulières, des variations très violentes. Une sphère régulière en rotation sur elle-même n'induirait pas plus d'ondes qu'une petite balle en rotation au fond d'un filet. En revanche, si cette sphère possède une irrégularité, comme une montagne extrêmement dense, le balayage de l'espace-temps par cette montagne doit se ressentir (comme une pointe sur la balle accrochant les mailles du filet et faisant se propager des ondes).

Au moment de l'effondrement de l'étoile Sanduleak, la matière, qui était jusque-là répartie dans un certain volume, s'est précipitée dans un volume beaucoup plus petit. Le tissu espace-temps au voisinage de cet événement a été profondément perturbé. Imaginez un gros ballon de foot dans un filet, qui, brusquement, concentrerait toute sa masse dans une bille. La forme du filet serait brusquement modifiée, passant d'une douce courbure à un puits profond. Au moment de l'effondrement suivi d'explosion, l'intense bouleversement a dû envoyer des ondes gravitationnelles dans toutes les directions, dont la Terre. Malheureusement, on ne les a pas observées. Les détecteurs d'ondes gravitationnelles performants (il y en a trois dans le monde) étaient en révision... « Les détecteurs les plus performants auraient pu, à l'extrême limite de leurs capacités, enregistrer les ondes gravitationnelles déclenchées par l'explosion, estime Richard Schaeffer. Mais on a manqué le coche. » Le signal que pourrait actuellement provoquer un hypothétique pulsar (irrégulier de forme) semblerait, en revanche, dépasser leurs possibilités. Ce n'est pas avant quelques années, « vers l'an 2000, estime Jean-Pierre Luminet, du CNRS, que des télescopes gravitationnels devraient être capables de détecter les signaux émis par les supernovae explosant dans un rayon de cent millions d'années-lumière. A une telle distance, plusieurs milliers de galaxies sont accessibles et les télescopes devraient déceler une fois par mois une bouffée de rayonnement gravitationnel ».

Aujourd'hui, les détecteurs d'ondes gravitationnelles ne paraissent pas d'une grande aide pour décrire le fameux pulsar. Laissons donc libre cours au doute de nombreux astrophysiciens. D'abord, certains trouvent étrange qu'on ait vu l'objet aussi vite, deux ans à peine après l'explosion. « La nouvelle a semblé un peu prématurée, concède Richard Schaeffer. On s'attendait à voir le pulsar dans plusieurs années, sans pouvoir d'ailleurs dire quand. » La matière éjectée de l'étoile demeure en effet très dense et l'hypothèse des jours dans le tissu est loin de convaincre tout le monde. Cette enveloppe de poussières inhomogènes est extrêmement difficile à modéliser. La principale chose à faire est de scruter, de scruter sans relâche les lieux de l'explosion.

Autre bizarrerie : le rayonnement observé de l'objet. D'abord, son intensité est vraiment très faible. « C'est comme si on avait vu à distance un poil d'éléphant sur tout un éléphant », aurait dit un théoricien américain célèbre. Ensuite, sa longueur d'onde est imprévue, c'est de la lumière visible : « Si j'attendais quelque chose, explique Michel Cassé, c'était une émission en rayons X ou en infrarouge et non en lumière visible. » A cela, une explication relativement simple. De tout le spectre des énergies émises par un possible pulsar, certaines ont des « chances » de passer au travers de l'enveloppe éjectée par la supernova, d'autres pas. Ainsi, les basses énergies (dont le visible) sont « tuées » par un phénomène physique connu, l'effet photoélectrique ; les hautes énergies (rayons gamma, X durs), elles, sont tuées par effet Compton (collision avec des électrons). En définitive, toute cette énergie absorbée finit par se « dégrader » et réchauffer globalement l'enveloppe, donc donner des rayonnements en infrarouge ; et seuls quelques rayonnements X de longueurs d'onde bien précises ont quelques chances de rayonner directement, puis d'être observés depuis la Terre. Plus précisément, depuis les satellites en orbite (le module Qvant à bord de la station spatiale soviétique Mir, le satellite japonais Ginga), l'atmosphère arrêtant les rayons X. Or, aucun de ces détecteurs en orbite n'a signalé de rayons X pulsés.

Le doute est d'autant plus fort que, par ailleurs, on n'a pas vu non plus d'effets « indirects » du pulsar. Pour détecter la présence d'un tel objet, il n'est pas obligatoire, en effet, de le voir directement. « Moteur » énergétique fantastique au centre de l'enveloppe en expansion, il modifie le comportement apparent de cette enveloppe. Le pulsar de la nébuleuse du Crabe a joué au cours des âges un rôle d'accélérateur de la matière en expansion. Celui de la supernova de Shelton ne devrait pas faire autrement. Ainsi, à terme (mais lequel ?), la lumière globale émise par la supernova pourrait devenir plus forte que prévu. L'enveloppe actuelle est un objet totalement « nucléaire », explique Michel Cassé. Les noyaux formés avant et au cours de l'explosion ne cessent de s'y désinté-grer, alimentant le milieu en énergie. Au bout d'un certain temps, ces désintégrations radioactives doivent diminuer, rendant l'enve-loppe globalement moins énergétique. Cette décroissance radioac-tive est prévisible, en fonction des modèles connus de la physique nucléaire. En revanche, s'il y a pulsar au centre de la supernova, la décroissance énergétique sera moins forte, le pulsar et son intense rayonnement prenant alors le relais des effets propres à l'enveloppe. Mais il semble qu'il soit encore trop tôt pour voir un tel effet. Pour l'instant, l'évolution propre de l'enveloppe demeure en soi un sujet d'intense recherche : au printemps et à l'été 1989, des ballons et un satellite (Sigma) spécialement conçus pour de telles détections doivent être lancés. Munis de détecteurs de rayons gamma, ils seront capables de voir « en direct » les désintégrations de toute une gamme d'éléments, nés de l'explosion. Par exemple le cobalt 57 (rappelons qu'on a déjà vu le cobalt 56, père du fer 56), le cobalt 60, le titane 44.

Nul doute que ces observations passionnent les spécialistes, qui y voient la confirmation (ou l'infirmation) « en direct » de leurs théories. Il n'empêche que toute l'attention reste focalisée vers le pulsar. Et ce, d'autant plus que l'article de *Nature* n'a pas manqué de soulever d'autres hypothèses tout à fait surprenantes. Ainsi, non contents d'avoir observé une pulsation à une fréquence particuliè-rement élevée, les astronomes lui ont trouvé une modulation. En clair, cette fréquence oscillerait un petit peu de façon répétitive (en une période de 8 heures) autour d'une valeur moyenne. Pourquoi donc le pulsar verrait-il sa fréquence varier régulièrement ?

A cette constatation les astrophysiciens donnent deux réponses possibles. L'une est due à un « changement intrinsèque » de l'étoile à neutrons. Par exemple, on peut imaginer des oscillations à l'intérieur de l'étoile, entre deux de ses couches : la croûte solide et l'océan souterrain superfluide... L'autre explication a un côté encore plus exotique pour le profane : le pulsar ne serait pas seul ! Il aurait un compagnon, avec lequel il formerait un système double en rotation. Les théoriciens ont même calculé à quoi devrait ressembler ce nouveau venu : un objet de la masse de la planète Jupiter, tournant sur une orbite presque circulaire, à plus d'un million de kilomètres du pulsar. « Une hypothèse hallucinante », estime Robert Mochkovitch, qui n'a pas l'air d'y croire beaucoup.

D'où sort un tel objet, peut-on s'interroger ? Pas de problème, les signataires ont devancé la question. Vu la taille de son orbite, ce compagnon se trouverait dans une zone correspondant à l'intérieur de la grande étoile bleue initiale, Sanduleak. Il n'aurait pas pu survivre à l'explosion. Il est donc né après. C'est peut-être un reste de l'effondrement du cœur, qui n'aurait pas rejoint le pulsar. Ou bien l'inverse : un bout de pulsar qui se serait échappé après l'effondrement.

A voir la façon dont les astrophysiciens parlent de ce bout d'univers, on se croirait transporté dans un roman de science-fiction. A 170 000 années-lumière de nous, une explosion majeure a eu lieu. Pour le commun des mortels, ce n'est qu'un pet cosmique. Pour les spécialistes, c'est une histoire si complexe, si mouvementée, qu'elle vaut le coup de mobiliser tous les télescopes terrestres, tous les satellites en action, toutes les équipes d'expérimentateurs ou de théoriciens. Par la seule puissance des équations, jointes aux vérifications expérimentales, le voyage est permis jusqu'au cœur de la matière ou presque. Le temps semble aboli. Cette histoire contemporaine peut nous renseigner aussi bien sur les débuts de l'univers que sur les débuts de notre système solaire, ou sur l'évolution future de ce même univers. Elle nous fait voir des objets étranges, aux propriétés insoupçonnées. Elle nous fait mesurer l'immensité de l'inconnu. A cette heure, des astronomes du monde entier planchent sur leurs chiffres, sur leurs courbes, sur leurs programmes informatiques. En Australie, en Europe, au Japon, aux États-Unis, au Chili, se préparent de nouvelles observations, se reformulent les théories.

Au moment où l'on s'achemine vers le terme de ce récit de science, force est de constater que l'histoire de la supernova est loin d'être achevée. Pour certains, elle durera peut-être jusqu'à la fin du siècle. Des astronomes qui ne sont pas encore nés observeront encore l'astre explosé.

Paris, mars 1989.

Un soleil est tombé en brandissant
la verte épée de sa clarté dernière,
dessous un autre soleil est tombé
de nuage en nuage vers l'hiver,
un autre encore
a traversé les vagues,
les panaches sauvages
que la colère avec l'écume plantent
sur les murs de turquoise
exacerbés,
et les voici, les masses pures :
sœurs parallèles,
Atalantes immobiles
arrêtées là
par la pause du froid,
encagées dans leur force
comme des lionnes pétrifiées,
comme des proues suivant sans océan
la direction du temps, l'éternité
cristalline du voyage.

Les Naufragés
Pablo Neruda

L'IMPROBABLE TROU NOIR

Sanduleak la bleue a implosé puis explosé, lançant ses neutrinos à travers l'espace. Piégés par miracle scientifique dans de grands détecteurs terrestres, ces derniers ont guidé les théoriciens. De la fournaise folle et brutale dans laquelle l'étoile est morte, a dû naître, selon leurs déductions, une perle tournante, un pulsar. Mais il eût été étonnant que ne surgisse pas — tout du moins en hypothèse — de ce drame cosmique un autre objet céleste, un objet drapé d'une aura fantasmatique hors pair : un trou noir.

En septembre 1987, quelques mois seulement après l'explosion, Jean Audouze évoquait cette éventualité, avec toutes les réserves scientifiques d'usage. En préface au livre de Jean-Pierre Luminet, *les Trous noirs*, il écrivait alors : « Depuis le 24 février, on sait que cette année restera longtemps dans les annales comme celle de l'explosion de la " supernova " du Grand Nuage de Magellan. Cet événement rare et éphémère, que les astronomes espéraient depuis quatre siècles, est d'autant plus exceptionnel qu'il a peut-être engendré " sous nos yeux " l'astre le plus étrange de l'univers : un trou noir. »

Aujourd'hui, avec le recul, aucun astrophysicien ne semble miser sur la découverte de cet astre étrange. Mieux, certains affirment qu'ils s'en réjouissent. Un trou noir aurait peut-être fait remonter la supernova à la Une des journaux, mais les scientifiques n'y auraient pas forcément trouvé leur compte. Lodewijk Woltjer, l'ancien directeur de l'ESO, quelques jours seulement après l'explosion, donnait déjà le ton : « Il est bien possible que l'effondrement de l'étoile ait engendré une densité tellement grande que certaines parties de l'étoile n'ont pas eu la force de rebondir. Il pourrait rester un trou noir. Mais ce serait beaucoup moins intéressant qu'un pulsar. Car on ne pourrait pas étudier grand-chose. Bon, on pourrait peut-être regarder la matière qui tombe dans ce trou noir. Mais franchement, ce que tout le monde a envie de savoir, c'est à quelle vitesse tourne une étoile à neutrons (le fameux pulsar) à sa naissance. »

Les astrophysiciens ont leurs raisons que la raison publique ignore. En particulier, lorsque l'objet dédaigné par les spécialistes se trouve être la star de l'imaginaire astronomique. La star en question doit tout ou presque à son nom — en anglais, *black hole* — lancé pour la première fois le 29 décembre 1967 par le célèbre astronome John Archibald Wheeler, lors d'une conférence à New York. Trou noir tient de la formule magique. On croit y voir un gouffre où se perd la lumière, une « prison cosmique » (Luminet), un mystère insondable. A répétition, le trou noir est affublé de toutes sortes de noms d'oiseaux — ogre vorace, monstre du cosmos, sphinx inquiétant.

Les astrophysiciens n'aiment pas trop ce goût suspect pour un objet perçu comme spectaculaire. Mais, comme une chanson de qualité, ayant échappé à ses auteurs, devient rengaine par l'engouement du public, le trou noir alimente désormais les conversations de tout un chacun. Ni plus ni moins que la Joconde (au sourire forcément énigmatique) ou les Pyramides (forcément mystérieuses). Le trou noir, que personne n'a vu, est devenu propriété de chacun.

Les astrophysiciens ont beau jeu de dire que ce « trou noir » n'est pas un trou et qu'il n'est pas vraiment noir... Rien n'y fait. Sa formidable attraction détourne les esprits de l'analyse rationnelle, les saisit dans un maelström de pensées fantasques. Pourtant, ce piège à lumière, aussi surprenant qu'il paraisse, fait bel et bien partie de notre univers très réel. De la même façon, il hante, en toute rigueur scientifique, les cerveaux de certains spécialistes depuis bien plus longtemps que le public ne l'imagine.

La notion de trou noir n'est en aucune manière un pur produit de notre étrange siècle. L'idée germe déjà dans des têtes particulièrement bien faites du XVIIIᵉ siècle, celles de l'Anglais John Michell et du Français Pierre Simon Laplace. Isaac Newton vient de donner au monde sa théorie de la gravitation. Les mouvements des planètes ne sont plus un simple ballet autour du Soleil, on sait y voir désormais des forces à l'œuvre. On comprend qu'un satellite comme la Lune, en orbite autour de la Terre, est en permanence attiré par celle-ci. Mais la Lune a trouvé son équilibre en orbite :

la force centrifuge due à son mouvement de rotation compense l'attraction gravitationnelle de la planète mère. On comprend que, pour « s'échapper », un projectile doit être animé d'une force supérieure à celle qui le contraint à rester sur terre. Cet objet est alors animé d'une vitesse de « libération » telle qu'il part vers l'espace, après avoir vaincu l'attraction terrestre. C'est en jouant avec cette idée, et celle d'une lumière formée de particules (idée proposée par Newton) sensibles à la gravitation, que Michell d'une part, Laplace de l'autre, imaginent une situation où la lumière ne pourrait pas s'échapper d'une zone à l'attraction trop forte. La lumière, à l'instar d'une balle lancée en l'air et retombant au sol, serait contrainte à retomber sur un corps d'une densité trop grande pour permettre sa « libération ».

Selon les spécialistes actuels, cette vision du trou noir est quelque peu simpliste. Cependant, elle a un double mérite, l'un « populaire », l'autre scientifique. D'abord, cette explication à l'ancienne est fort compréhensible. Ensuite, elle permet de prendre date, et de montrer, s'il en était encore besoin, que les déductions de l'esprit ont un fort pouvoir de prédiction. Les supputations de Michell et Laplace, vieilles d'environ deux siècles, sont tout à fait modernes.

Il ne faudrait pas croire, cependant, que l'idée du piège à lumière a immédiatement séduit les scientifiques. Bien au contraire. L'hypothèse d'une lumière formée de corpuscules n'a pas eu sa chance au XIXᵉ siècle. A cette époque, toutes les expériences et tous les calculs optiques reposent, à l'inverse, sur la vision ondulatoire de la lumière. Or, une onde, comme celle imaginée au XIXᵉ, ne peut être sensible à la gravitation. Exit, donc, pour quelques dizaines d'années, le concept potentiel de trou noir.

Il ne reviendra sur la sellette qu'avec notre siècle et sa découverte de deux théories fondamentales, la Mécanique quantique et la Relativité. Avec la première, la lumière d'une part acquiert définitivement son caractère double — ondulatoire et corpusculaire — ; la matière, d'autre part, dévoile des aspects insoupçonnés de son comportement, comme ce que l'on nomme matière dégénérée, empilement gigantesque de ses constituants. Avec la deuxième des théories, espace et gravitation deviennent des concepts indissolublement liés. L'espace-temps devient cette sorte de trame élastique dans laquelle les amas de matière creusent leurs puits gravitationnels.

Mais en quoi tout cela a-t-il un lien avec l'explosion de la supernova 1987A ? Si l'on n'entre pas dans les détails ardus des équations, la chose paraît simple. Quand l'étoile, arrivée au terme de sa vie normale, après avoir brûlé l'un après l'autre les combustibles disponibles pour la fusion nucléaire, s'effondre, une question se pose. Jusqu'où l'empilement de matière a-t-il pu aller ? Jusqu'à quand les particules ont-elles supporté la compression ?

En définitive, selon leurs masses initiales — ou plutôt leurs masses en effondrement — les étoiles finissent en naines blanches, en étoiles à neutrons ou en trous noirs. Le trou noir est le stade ultime que l'on puisse imaginer. Celui où la matière, tellement compressée, ne se soutient plus elle-même. Les forces qui la soustendaient, qui permettaient encore une organisation de ses particules, sont vaincues. Ainsi, une masse égale à celle de la Terre finirait en trou noir d'un diamètre de 2 centimètres seulement ! C'est en 1939 que les physiciens américains Robert Oppenheimer et Hartland Snyder, étudiant l'effondrement d'une étoile modèle, s'aperçurent qu'au-delà de certaines limites (actuellement on s'accorde à dire pour des masses supérieures à trois masses solaires), la matière devait ainsi s'effondrer de manière dramatique. Et cette matière effondrée crée un puits gravitationnel tel qu'aucune matière et qu'aucun rayonnement, une fois tombés dedans, ne peuvent plus s'échapper.

Avec SN1987A, la question a resurgi : la matière de Sanduleak a-t-elle pu atteindre une densité assez forte pour s'effondrer ? Et si tel était le cas, aurait-on assisté véritablement à une explosion ? Les couches de matière tombant en pluie vers le ventre de l'étoile auraient-elles pu d'abord rebondir sur un cœur dur, comme on l'imagine dans le scénario où naît un pulsar ? Puis, après ce rebond, correspondant à l'explosion, y aurait-il eu effondrement du cœur en trou noir ?... Ce scénario ne convainc pas aujourd'hui. La supernova n'aurait pas, finalement, donné naissance à l'astre étrange préféré du public.

Cela étant, il ne faudrait pas croire que ce doute jette une ombre sur l'existence même des trous noirs. Plus que jamais, la chasse à ces curieux objets est ouverte. Ce n'est pas une chasse directe, mais plutôt la détection des manifestations caractéristiques de leur présence. Ainsi, on ne saurait « voir » directement un trou noir, puisque aucune lumière ne s'en échappe, à l'origine de ce que le physicien américain R. Penrose a appelé censure cosmique. En revanche, on peut essayer de détecter les effets de son attraction gravitationnelle. Par exemple, la matière interstellaire autour d'un trou noir devrait avoir tendance à former un disque en rotation très rapide. D'énormes quantités d'énergie doivent alors être libérées quand cette matière, à la limite interne du disque, plonge dans le trou noir et disparaît de notre champ de vision.

Logiquement, cette énergie devrait être repérable. Et tous les efforts récents de certains astronomes spécialisés ont consisté à repérer ces signaux spéciaux. Les bons sites candidats, comme l'avaient suggéré dès 1964 les astrophysiciens russes Zel'dovitch et Novikov, sont notamment ces systèmes binaires où deux objets célestes tournent l'un autour de l'autre, en libérant de grandes quantités d'énergie (en particulier des rayons X). On imagine aujourd'hui que des trous noirs beaucoup plus massifs que le Soleil participent ainsi à des systèmes binaires. Cygnus X-1, nom fort célèbre du monde des astrophysiciens, en est l'exemple type. Dans ce système double détecté en 1971, une étoile massive, plus lourde que 20 soleils, serait en orbite autour d'un trou noir d'une masse de 7 soleils.

On pense également que l'on devrait trouver des trous noirs dans les noyaux des galaxies. Dans ces régions riches en étoiles, il y a de bonnes chances pour qu'une étoile supermassive ait fini par s'effondrer en trou noir. Trou noir glouton qui aurait de surcroît beaucoup de matière à avaler dans les parages. De fait, notre galaxie, la Voie Lactée, semble bien avoir un trou noir en son centre, peut-être aussi massif qu'un million de soleils...

Depuis 1987, un nouveau candidat trou noir, très sérieux, est enregistré dans les annales des astronomes. Grâce à des enregistrements effectués à l'ESO (observatoire européen austral), une équipe française, Danielle Alloin, Catherine Boisson, et Didier Pelat de l'observatoire de Paris (Meudon), a découvert qu'une masse d'environ 70 millions de fois (!) celle du Soleil était amassée dans un tout petit volume au centre d'une galaxie baptisée Arakelian 120. Cette galaxie, découverte en 1975 par l'astronome arménien Arakelian, est située dans la constellation d'Orion, à environ 500 millions d'années-lumière de nous. Jugée dès sa découverte très spéciale, cette galaxie montre de curieuses variations énergétiques, alternant entre des états de faible et d'intense activité. Une étrangeté dans le comportement qui pourrait peut-être être expliquée par la présence du gigantesque trou noir évoqué plus haut. Un vrai monstre, dont le diamètre serait la distance Terre-Soleil...

Un monstre pour lequel les inconnues sont aussi fortes que pour tous les autres. Personne, en effet, ne peut aujourd'hui dire exactement ce que devient la matière à l'intérieur des trous noirs. Alors que l'on peut encore tenter de décrire (et avec quelles difficultés) l'état de la matière d'une naine blanche ou d'une étoile à neutrons, celui d'un trou noir reste au-delà de tout ce que peuvent donner les théories actuelles. A moins que nous ne soyons nous-mêmes déjà à l'intérieur d'un trou noir, vaste comme notre univers... Auquel cas, la pensée est rendue à ses fantasmes les plus fous. Serions-nous alors les habitants d'un trou noir dans une succession de trous noirs emboîtés ? Ou bien piégés dans un trou noir, banale unité d'une myriade d'autres trous noirs ? Les observations actuelles ne permettent pas de tester ce qui demeure de pures spéculations. Ces questions n'en disparaissent pas pour autant, comme autant de vigoureux pôles d'attraction pour notre imagination décuplée par le syndrome « trou noir ».

Bibliographie

Livres

Ces soleils qui explosent, Isaac Asimov, Payot, 1987.
Soleils éclatés, les supernovae, Thierry Montmerle et Nicolas Prantzos, Presses du CNRS, 1988.
Le destin des étoiles, George Greenstein, Le Seuil, 1987.
Patience dans l'azur, Hubert Reeves, Le Seuil, 1981.
L'heure de s'enivrer, Hubert Reeves, Le Seuil, 1986.
Les trois premières minutes de l'univers, Steven Weinberg, Le Seuil, 1978.
La symétrie aujourd'hui (série d'entretiens), Le Seuil, 1989.
Le ciel, ordre et désordre, Jean-Pierre Verdet, Découvertes Gallimard, 1987.
La science menacée, Evry Schatzman, éd. Odile Jacob, 1989.
Le message du photon voyageur, Evry Schatzman, Belfond, 1987.
Les trous noirs, Jean-Pierre Luminet, Belfond, 1987.
Nostalgie de la lumière, Michel Cassé, Belfond, 1987.
Aujourd'hui l'univers, Jean Audouze, Belfond, 1989.
La matière espace-temps, Michel Spiro et Gilles Cohen-Tannoudji, Fayard, 1986.
The historical supernovae, D. H. Clark et F. R. Stephenson, Pergamon Press, 1977.
The standard model-the supernova 1987A, Tran Thanh Van, Frontières, 1987.

POÉSIE

Les pierres du ciel — Les pierres du Chili, Pablo Neruda, poèmes traduits de l'espagnol par Claude Couffon, Gallimard, 1972.

ARTICLES SPÉCIALISÉS

« L'explosion d'une supernova dans le Grand Nuage de Magellan », Jean Surdej, *Ciel et Terre,* vol. 103, 35-42, 1987.

« La supernova 1987A a-t-elle réconcilié théorie et observations ? », Guy Paulus, *Ciel et Terre,* vol. 104, 35-47, 1988.

« Bang : the supernova of 1987 », David Helfand, *Physics Today,* août 1987.

« Sighting of a supernova », Mitchell Waldrop, *Science,* 6 mars 1987.

« The supernova 1987A shows a mind of its own — and a burst of neutrinos », Mitchell Waldrop, *Science,* vol. 235, 13 mars 1987.

« Supernova 1987A on center stage », Mitchell Waldrop, *Science,* vol. 238, 20 novembre 1987.

« Supernova 1987A ! », S. E. Woosley, M. M. Phillips, *Science,* vol. 240, 750-759, 6 mai 1988.

« Supernova in Large Magellanic Cloud, overview of first results », 3 mars 1987, *ESO Press Release.*

« The unusual behavior of supernova 1987A in LMC », 31 mars 1987, *ESO Press Release.*

« Supernova 1987A in the LMC », *ESO,* preprint n° 500, mars 1987.

« Exploding star startles astronomers », Nigel Henbest, *New Scientist,* 5 mars 1987.

« L'explosion des étoiles », Eric Suraud, *la Recherche,* n° 186, mars 1987.

« Les naines blanches », Gilles Fontaine et François Wesemael, *la Recherche,* avril 1985.

« Particules issues d'une supernova », *Courrier CERN,* mai 1987.

« Observation de neutrinos provenant de SN1987A », *Rencontres de Moriond,* 1987.

« Astronomie : la voie européenne », Serge Brunier, *Ciel et Espace,* n° 219, septembre-octobre 1987.

« Insight into star death », Richard Talcott, *Astronomy,* février 1988.

« When will a pulsar in supernova 1987A be seen ? », F. Curtis

Michel, C. F. Kennel, William A. Fowler, *Science,* vol. 238, 13 novembre 1987.

« Où naissent les pulsars ? », Jean-Marc Bonnet-Bidaud, *la Recherche,* juillet-août 1988.

« Submillisecond optical pulsar in supernova 1987A », J. Kristian, C. R. Pennypacker, J. Middleditch, M. A. Hamuy, J. N. Imamura, W. E. Kunkel, R. Lucinio, D. E. Morris, R. A. Muller, S. Perlmutter, S. J. Rawlings, T. P. Sasseen, I. K. Shelton, T. Y. Steiman-Cameron, I. R. Tuohy, *Nature,* vol. 338, 16 mars 1989.

ARTICLES NON SPÉCIALISÉS

« Chile, Ojos al universo », *Imagen,* décembre 1985.

« Supernova se esta enfriando », *El Mercurio,* 2 mars 1987.

« Naissance d'une astronomie nouvelle », *le Monde,* 17 mars 1987.

« La supernova éclaire l'univers », *Libération,* 18 mars 1987.

« Supernova ! », *Time,* 23 mars 1987.

« Neutrinos ; new view in space », *The New York Times,* 7 avril 1987.

« Supernova du troisième type », *le Monde,* 26 août 1987.

« Supernova offers clue on antimatter », *The New York Times,* 21 décembre 1987.

« Les jolis bébés de supernova », *Libération,* 27 janvier 1988.

Index des personnes

Index des thèmes

Table des matières

Aubin Imprimeur
LIGUGÉ, POITIERS

Achevé d'imprimer en août 1989
Nº d'édition 11955 / Nº d'impression L 31670
Dépôt légal août 1989 / Imprimé en France